WILFRIED KOCH

Comment reconnaître les styles en architecture

Lexique de poche illustré
avec plus de huit cents illustrations
de la main de l'auteur

SOLAR

Crédits photos : Bavaria Verlag, Munich ; Bildarchiv Foto Marburg, Marbourg ;
P. et R. Büttner, Paulus Verlag, Fulda ;
Éditions Arthaud, Grenoble ; Wilfried Koch, Gütersloh ;
Toni Schneiders, Lindau.

Traduit de l'allemand par Léa Marcou.

Sommaire

Dans les « vues intérieures », une flèche indique la direction du regard.

Le signe → devant un mot ou un groupe de mots séparés par une virgule est une invitation à s'y reporter pour trouver des explications complémentaires.

Les formes d'architecture et objets dont la dénomination contient un mot-clé sont classés à ce mot-clé. Exemple : voûte en berceau, voir « voûte ».

LES STYLES NE SONT PAS
UNE CRYPTOGRAPHIE

Mode d'emploi de ce livre

En matière d'art, chaque style se caractérise par un nombre relativement facile à déterminer d'éléments qui, à leur tour, peuvent être définis avec une précision satisfaisante. Ainsi, un aide-mémoire pratique des styles pourrait-il être constitué d'un ensemble de « boîtes de construction » typiques, par exemple romane, gothique ou Renaissance. En schématisant bien sûr, l'on peut dire qu'à chaque époque les maîtres d'œuvres ont toujours créé leurs œuvres nouvelles en partant de ces éléments isolés, les disposant à leur manière. Le tempérament, l'origine géographique et culturelle de chacun d'eux — et bien évidemment les lois de la statique — intervenaient pour privilégier tel de ces éléments, rejeter tel autre, apporter ici une variante, là une innovation. Ainsi s'expliquent, entre autres, les différences d'aspect général des œuvres d'art d'une même époque.

Si d'aventure — changement de l'esprit du temps, progrès techniques et évolution du goût — la fréquence des modifications ou innovations devient trop importante, l'image d'ensemble de l'œuvre d'art se trouve transformée. On parlera alors, pour simplifier, d'une nouvelle phase d'un style (exemple : gothique primitif, à son apogée, flamboyant) ou d'un style nouveau (roman, gothique, Renaissance, etc.).

Le passage du style carolingien au roman nous offre un exemple particulièrement éclairant de cette transformation progressive des éléments isolés et, partant, de l'image d'ensemble. En revanche, le passage du gothique au Renaissance s'est effectué bien plus brutalement, car il fut la contestation des conceptions gothiques prévalantes : les nouveaux créateurs rejetèrent délibérément l'essentiel de la « boîte de construction » utilisée jusqu'alors pour lui substituer des modèles, soit originaux, soit inspirés de l'Antiquité.

6

L'image d'ensemble de l'architecture de la Renaissance se présente ici comme une nouvelle interprétation du langage des formes antiques. En d'autres termes, une interrogation sur les raisons de métamorphoses des styles doit inclure l'histoire des idées. Car, à l'évidence, relever seulement les transformations des éléments n'apporterait guère qu'un aperçu superficiel des mystérieux processus humains et historiques qui sous-tendent l'histoire de l'art.

Dans ce livre, nous tenterons tout d'abord d'apporter par l'image une vue d'ensemble du style des différentes époques, en en présentant et comparant les principales réalisations architecturales. Parallèlement, nous établirons pour chaque édifice la liste de ses principaux constituants. Ils sont pratiquement toujours présents dans les œuvres d'art d'un même style. Dans la seconde partie, un lexique développera ces indications générales en fournissant, par le texte et l'illustration, un aperçu plus détaillé ainsi que les principales variantes. Ces variantes portent souvent des noms spécifiques et doivent donc figurer sous leur dénomination précise. Mais comme, bien évidemment, on ne saurait les retrouver faute de la connaître, nous avons procédé de la manière suivante : la dénomination précise est à sa place dans l'ordre alphabétique, et un renvoi invite le lecteur à se reporter à un article regroupant, sous une désignation connue, un ensemble de mots se rapportant à un même thème. Là, un coup d'œil sur l'illustration permettra de repérer le détail recherché. Exemples : les différents motifs décoratifs, de l'arabesque au zigzag, sont regroupés dans « Ornements »; tout ce qui concerne la forme des toitures, de l'arétier à la poivrière, se retrouvera sous la rubrique « Toitures (formes de) ».

L'objectif de ce livre est de fournir au lecteur suffisamment de points de référence sûrs et précis pour que, peu à peu, il soit en mesure de reconnaître le style d'une œuvre d'art grâce à son image d'ensemble aussi bien qu'à l'identification de ses éléments. Il apprendra du même coup à différencier les apports respectifs de l'un ou l'autre style dans les nombreuses œuvres d'art « impures » — par exemple ces monuments commencés au gothique et achevés sous la Renaissance.

Les petits guides distribués aujourd'hui aux visiteurs de tout édifice important contiennent toujours nombre de termes et de notions hermétiques au profane. Vous les trouverez, pour la plupart, dans notre lexique et pourrez ainsi, vous aidant des schémas, les repérer sur le monument qui vous intéresse. Nous vous conseillons donc d'emporter ce petit livre dans vos voyages, de lui réserver une place permanente dans votre voiture, et surtout de le consulter souvent. Il vous permettra de mieux apprécier les chefs-d'œuvre de notre Terre en vous les rendant un peu plus proches, et il vous enrichira.

Chapiteau ionique. Athènes, Acropole.

ARCHITECTURE RELIGIEUSE
ANTIQUITÉ

Chaque fois que, au cours des siècles passés, l'architecture européenne a voulu se renouveler, l'Occident chrétien a fait retour, entre autres, aux éléments formels qui, bien avant l'aube du christianisme, faisaient des temples grecs l'expression parfaite de la beauté. Plan rectangulaire, colonnes et frontons, issus de la maison d'habitation, se marient en multiples combinaisons d'ordres et colonnades dans la Maison de la Divinité dont l'effigie, sous forme de statue, est vénérée dans le sanctuaire (cella ou naos). Dans sa forme la plus simple, le temple à antes (1) ne présente qu'un portique (pronaos) à deux colonnes entre deux pilastres d'angle (antes). Bientôt, une réplique de ce portique, mais sans accès à la cella, est ajoutée à l'arrière de l'édifice (2). Une seconde rangée de colonnes (3) ou un portique à quatre colonnes, qui se répète à l'arrière (4), enrichit le temple prostyle. Plus rares, les petits temples ronds (7) sont, avec leur ceinture de colonnes, des chefs-d'œuvre de grâce et d'harmonie. Mais ce sont surtout les grands temples, périptères et diptères (5, 6), entourés de leurs colonnades, qui ont marqué le plus profondément notre image de l'art grec : force tranquille du vaste temple dorique bien campé sur ses puissantes colonnes, svelte élégance du temple ionique, riche ornementation des chapiteaux et frontons de l'ordre corinthien. L'équilibre des proportions exprimé dans la pierre impose sa triomphante harmonie.

Seuls des prêtres triés sur le volet étaient autorisés à pénétrer dans le temple. Le peuple offrait ses sacrifices au-dehors, en plein air. C'est pourquoi les bâtisseurs des premières églises chrétiennes ont récusé le modèle du temple grec car ils voulaient, conformément à l'enseignement du Christ, un lieu de réunion pour tous, les faibles comme les puissants. Ils ont donc pris pour modèle la halle du marché romain, ou basilique. Il n'en reste pas moins que, chaque fois que l'architecture occidentale créa de la beauté, les Muses de Grèce étaient présentes.

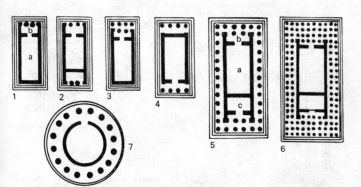

(1) Temple à antes ; (2) Temple à antes doubles ; (3) Prostyle ; (4) Amphi-prostyle ; (5) Périptère ; (6) Diptère ; (7) Temple rond, monoptère : a - Cella (Naos) / b - Pronaos / c - Opisthodome (pièce du fond, réservée au trésor).

L'architecture du temple grec
(voir aussi, dans le lexique, « Colonnes » et « Chapiteaux »)

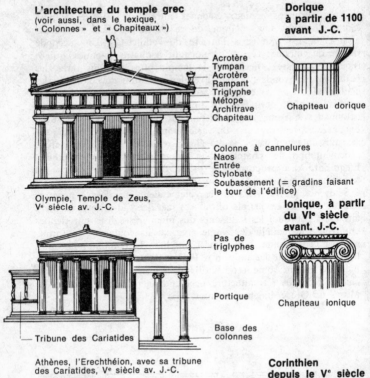

- Acrotère
- Tympan
- Acrotère
- Rampant
- Triglyphe
- Métope
- Architrave
- Chapiteau

- Colonne à cannelures
- Naos
- Entrée
- Stylobate
- Soubassement (= gradins faisant le tour de l'édifice)

Olympie, Temple de Zeus,
Ve siècle av. J.-C.

Pas de triglyphes

Portique

Base des colonnes

Tribune des Cariatides

Athènes, l'Erechthéion, avec sa tribune des Cariatides, Ve siècle av. J.-C.

Athènes, monument de Lysicrate, IVe siècle av. J.-C.

**Dorique
à partir de 1100
avant J.-C.**

Chapiteau dorique

**Ionique, à partir
du VIe siècle
avant. J.-C.**

Chapiteau ionique

**Corinthien
depuis le Ve siècle
avant J.-C.**

Chapiteau corinthien

Dans le temple corinthien sont présentes toutes les formes de l'architecture ionique, mais le chapiteau corinthien se substitue au chapiteau ionique. Le chapiteau corinthien a fait son apparition dans l'architecture civile bien avant d'être utilisé dans l'architecture religieuse.

Architecture romaine, temples et églises

L'architecture romaine combine les traditions des peuples hellénistiques vaincus avec les créations originales romaines et étrusques : l'arc, l'ensemble arc + pilier, les voûtes, les coupoles. L'Empire imposera cet « art officiel » dans toutes les provinces romaines. Par la suite, son influence gagnera l'Occident et s'exercera sur l'architecture romane et celle de la Renaissance. Les réalisations architecturales romaines sont essentiellement utilitaires (aqueducs, thermes, basiliques, théâtres, cirques, ponts et fortifications) et de prestige (forum, arc de triomphe, palais, tombeau). Le temple, inspiré dans une certaine mesure du temple grec, s'élève sur une plate-forme à laquelle on accède par un perron flanqué de murets. Sa façade s'orne d'un portique mais, latéralement, la colonnade est remplacée le long de la cella par des colonnes engagées (temple pseudopériptère). Dans l'ensemble, l'art de l'ingénieur prime sur l'architecture religieuse, et ce n'est qu'au IVe siècle — avec les bâtisseurs d'églises — que celle-ci manifestera une nette prédominance.

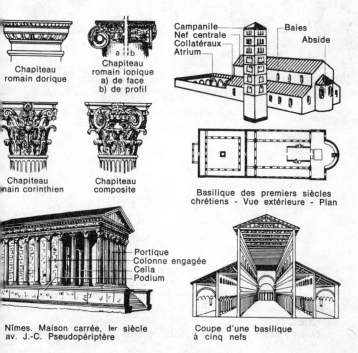

Chapiteau romain dorique

Chapiteau romain ionique
a) de face
b) de profil

Chapiteau romain corinthien

Chapiteau composite

Campanile
Nef centrale
Collatéraux
Atrium
Baies
Abside

Basilique des premiers siècles chrétiens - Vue extérieure - Plan

Portique
Colonne engagée
Cella
Podium

Nîmes. Maison carrée, 1er siècle av. J.-C. Pseudopériptère

Coupe d'une basilique à cinq nefs

11

Rotonde carolingienne (plan centré), Saint-Michel, à Fulda (Allemagne).

ARCHITECTURE RELIGIEUSE
ART CAROLINGIEN
ET OTTONIEN

Le grand dessein de Charlemagne (768-814) est de réaliser l'unité politique de l'Occident sous la houlette germanique. Dans son puissant Empire vont se fondre les éléments opposés des cultures germaniques, de l'antiquité finissante, et des premiers siècles chrétiens.

Que ce soit à la Cour impériale ou dans l'architecture religieuse les constructeurs germaniques adoptent l'art du Bas-Empire : la masse cubique et close du bâtiment en pierre, le plan centré romain-byzantin, ainsi que de nombreux éléments de détail (exemple : les colonnes de la chapelle Palatine d'Aix-la-Chapelle sont apportées de Ravenne). Ils restent fidèles à la → basilique des premiers temps de l'ère chrétienne. En revanche, le → double chevet est une création originale franque, expression monumentale de l'union de l'Eglise et de l'Etat. Peu de choses nous restent des palais. La statuaire semble absente. En revanche, dans les églises et monastères, s'épanouit l'art des enluminures et des fresques d'inspiration mystique et au dessin tourmenté, et fleurissent l'orfèvrerie et les ivoires sculptés.

Ainsi, l'ère carolingienne jette les fondements de l'art de l'Europe occidentale, mais celui-ci n'acquerra sa spécificité qu'au tournant du millénaire, après le partage de l'immense Empire franc entre les successeurs de Charlemagne. Ainsi naîtront un empire occidental et un empire oriental germanique. Cette période dite « ottonienne » - du nom de trois puissants empereurs allemands - précède immédiatement, en Allemagne, l'époque romane.

L'église Saint-Michel d'Hildesheim est l'édifice le plus important de cette époque qui, du plan aux détails, transforme et anime avec force variantes tout ce qui avait été précédemment emprunté à l'Antiquité. Les principales caractéristiques de l'art roman y apparaissent déjà : tours imposantes coiffant les → croisées nettement tracées du transept, tourelles d'escaliers aux flancs du transept, importance marquée de celui-ci dans le plan d'ensemble, second chœur faisant pendant, à l'Ouest, au chœur oriental seul présent jusqu'alors (églises à double abside). Il faudra surélever le → chœur, sous lequel sera désormais aménagée la → crypte. Et le plafond de celle-ci, ainsi que celui de quelques pièces annexes, préfigure déjà la voûte qui, plus tard, donnera aux églises romanes, par l'équilibre de la poussée et des piliers, leur parfaite harmonie et leur majesté.

L'arc, emprunté à l'architecture romaine, apparaîtra en de nombreuses variations, tant en élément porteur qu'en motif décoratif. Il relie dans la nef piliers et colonnes qui soutiennent, à tour de rôle, les murs de refend (→ alternance). Arc triomphal, il sépare nettement la nef du chœur. Il confère rythme et harmonie aux tribunes, structure et décore, sous forme de frises en arceau et de bandes lombardes (→ ornements), le mur extérieur. Mais rien ne saurait aussi bien nous faire saisir l'assimilation consciente, et réussie, des éléments architecturaux antiques que cette invention toute proche de la perfection : le chapiteau cubique, sans exemple dans sa simplicité géniale, mais qui sera exemplaire pour tout l'art roman.

Art carolingien, VIIIᵉ siècle - 911

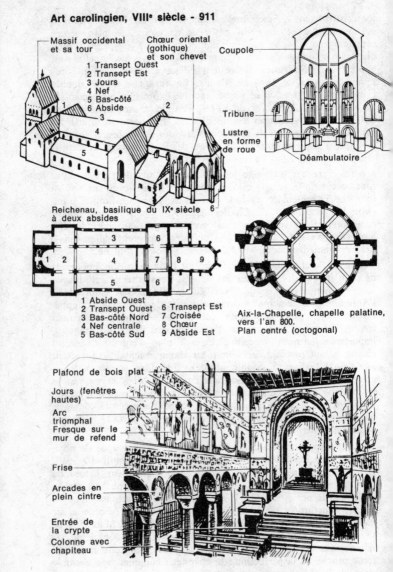

Massif occidental et sa tour

Chœur oriental (gothique) et son chevet

1 Transept Ouest
2 Transept Est
3 Jours
4 Nef
5 Bas-côté
6 Abside

Coupole

Tribune

Lustre en forme de roue

Déambulatoire

Reichenau, basilique du IXᵉ siècle à deux absides

1 Abside Ouest
2 Transept Ouest
3 Bas-côté Nord
4 Nef centrale
5 Bas-côté Sud
6 Transept Est
7 Croisée
8 Chœur
9 Abside Est

Aix-la-Chapelle, chapelle palatine, vers l'an 800.
Plan centré (octogonal)

Plafond de bois plat

Jours (fenêtres hautes)

Arc triomphal
Fresque sur le mur de refend

Frise

Arcades en plein cintre

Entrée de la crypte

Colonne avec chapiteau

Reichenau, IXᵉ siècle
Vue vers l'Est

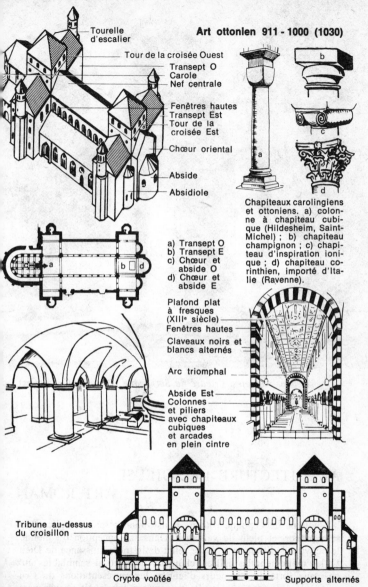

Tourelle d'escalier

Art ottonlen 911 - 1000 (1030)

Tour de la croisée Ouest
Transept O
Carole
Nef centrale

Fenêtres hautes
Transept Est
Tour de la croisée Est

Chœur oriental

Abside

Absidiole

a) Transept O
b) Transept E
c) Chœur et abside O
d) Chœur et abside E

Chapiteaux carolingiens et ottoniens. a) colonne à chapiteau cubique (Hildesheim, Saint-Michel) ; b) chapiteau champignon ; c) chapiteau d'inspiration ionique ; d) chapiteau corinthien, importé d'Italie (Ravenne).

Plafond plat à fresques (XIIIe siècle)
Fenêtres hautes
Claveaux noirs et blancs alternés

Arc triomphal

Abside Est
Colonnes et piliers avec chapiteaux cubiques et arcades en plein cintre

Tribune au-dessus du croisillon

Crypte voûtée

Supports alternés

Saint-Michel d'Hildesheim (Allemagne), début du XIe siècle, église à deux chœurs. Plan. Vue intérieure de la crypte (à gauche) ; vue intérieure, vers l'Est (à droite). Coupe longitudinale (en bas).

15

Arcades romanes. Prieuré de Serrabone (Pyrénées-Orientales).

ARCHITECTURE RELIGIEUSE
ART ROMAN

L'homme de l'époque romane nous apparaît sans complications, sans pathos, et plein de vaillance. Dans sa conception du monde, le pouvoir de l'Empereur est le reflet de la toute puissance de Dieu. Et les monumentales églises, châteaux de Dieu si semblables aux châteaux forts des seigneurs d'ici-bas, les représentations du Crucifié à la couronne royale (la couronne d'épines est postérieure), sont à ses yeux paraboles évidentes. Cependant que les luttes féroces entre les Papes et les Empereurs le laissent indifférent. Les paysans tout comme les artisans suivent leur seigneur à la guerre et à la Croisade : ils sont la terne toile de fond sur laquelle brillent avec d'autant plus d'éclat la puissance et la munificence du prince. Ils ne prennent part ni à la politique ni à la création de biens culturels durables. Ils sont la propriété des chevaliers et des moines.

Dans le château féodal, le trouvère chante les exploits et les amours des chevaliers et gentes dames. Les chapelles des couvents résonnent du chant grégorien des moines - parmi lesquels se recrutent les savants précepteurs des rois et des empereurs. Ces moines excellent dans le métier des armes tout comme dans l'art de tracer patiemment, mot après mot, un manuscrit sur du parchemin puis de l'orner de somptueuses enluminures. Ils sont les maîtres d'œuvre des cathédrales aux nobles proportions, des églises fortifiées, et inventent le plan à « système carré » qui ordonne toutes les mesures du plan d'après celles du carré du transept. Ils jettent au-dessus de la nef des arcs-doubleaux, la coiffent de puissantes voûtes en berceau ou d'arêtes et, à partir du XIIe siècle, la couvrent d'un fin réseau de nervures qui dirigeront vers les colonnes la poussée des lourdes voûtes. Ils sont les tailleurs de pierre qui transforment le chapiteau antique, dressent, de part et d'autre du portail en plein cintre, des statues de saints respirant une sereine dignité, et le surmontent du Jugement Dernier. De leurs mains naîtront les larges fresques de la nef centrale et des cryptes, ainsi que les → grilles du chœur qui séparent le clergé des fidèles. Certes, ils conservent de l'antiquité romaine, d'où leur époque tire son nom, l'arc en plein cintre. Mais rien ne saurait être moins italien que ces clochers, parfois au nombre de six ou davantage, qui, dans les églises cisalpines, s'élèvent majestueusement au-dessus de la croisée du transept, transformant l'apparence du massif édifice.

Les monastères ne cessent de s'enrichir, leurs trésors se gonflent de précieuses pièces d'orfèvrerie en or et argent, les ornements, galeries et sculptures se multiplient dans les églises, et des marmousets et bestiaires de pierre peuplent les chapiteaux tout comme les tympans des portails.

Alors s'élève du couvent de Cluny un sévère rappel à l'ordre, un appel à plus de sobriété et au respect de la traditionnelle simplicité monacale. Mais, pendant que de rares bâtisseurs d'églises s'inspirent de cet esprit d'ascétisme (→ école d'Hirsau), naissent en France même, et ce dès le XIIe siècle, les principales caractéristiques d'une nouvelle époque : l'arc ogival et les contreforts. Cependant que les maisons impériales germaniques se précipitent, de crise en crise, au milieu de violents soubresauts, vers la catastrophe qui mettra fin à l'époque romane.

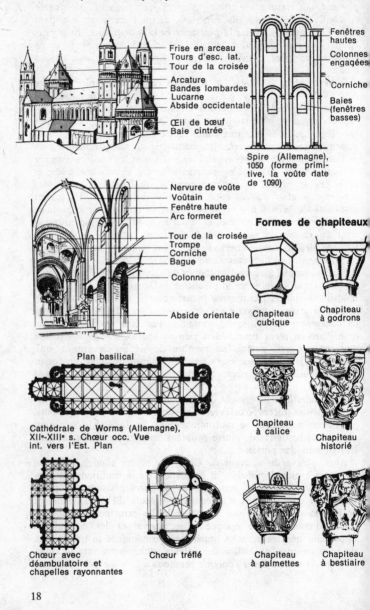

Art roman, 1000-1200 (1250)

Frise en arceau
Tours d'esc. lat.
Tour de la croisée
Arcature
Bandes lombardes
Lucarne
Abside occidentale
Œil de bœuf
Baie cintrée

Evolution de l'ordonnance

Fenêtres hautes
Colonnes engagées
Corniche
Baies (fenêtres basses)

Spire (Allemagne), 1050 (forme primitive, la voûte date de 1090)

Nervure de voûte
Voûtain
Fenêtre haute
Arc formeret

Tour de la croisée
Trompe
Corniche
Bague

Colonne engagée

Abside orientale

Formes de chapiteaux

Chapiteau cubique

Chapiteau à godrons

Plan basilical

Cathédrale de Worms (Allemagne), XIIe-XIIIe s. Chœur occ. Vue int. vers l'Est. Plan

Chapiteau à calice

Chapiteau historié

Chœur avec déambulatoire et chapelles rayonnantes

Chœur tréflé

Chapiteau à palmettes

Chapiteau à bestiaire

Roman 1000-1200 (1250)

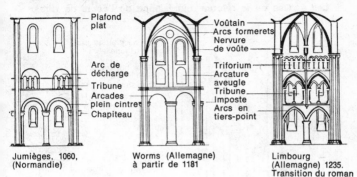

Jumièges, 1060,
(Normandie)

- Plafond plat
- Arc de décharge
- Tribune
- Arcades plein cintre
- Chapiteau

Worms (Allemagne)
à partir de 1181

- Voûtain
- Arcs formerets
- Nervure de voûte
- Triforium
- Arcature aveugle
- Tribune
- Imposte
- Arcs en tiers-point

Limbourg
(Allemagne) 1235.
Transition du roman
au gothique.

Formes de voûtes

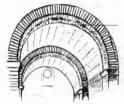

Voûte en berceau

Voûtes d'arêtes

Système de voûte dans la nef
centrale d'une église
à plan basilical.

- Arc-doubleau
- Arêtes
- Fenêtres hautes
- Nef centrale
- Colonne engagée
- Bas-côtés

Portail

- Arc - doubleau
- Archivolte
- Intrados historié
- Tympan à Christ Pantocrator
- Linteau
- Statue au pied-droit
- Montant
- Trumeau

Vue et plan. Le portail de
Saint-Trophime d'Arles représente
l'apogée de l'architecture
romane tardive.

Roman - Formes particulières

I. Les églises de la réforme clunisienne de l'Ecole de Hirsan

Retour au plafond plat
Pas de tribune

Corniche horizontale
(souvent à frise
en damiers)

Chapiteau
cubique
à besants

Basilique à
colonnes
(fréquent)

Absence de crypte

Chœur à gradins

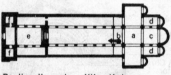

Paulinzella, ruine. XIIe siècle.
Ecole de Hirsau

a) Chorus major
   (pour les chanteurs)
b) Chorus minor
   (non chanteurs)
c) Presbyterium
d) Chœurs latéraux
e) Porche, avec atrium
   à l'Ouest
f) Clochers occidentaux

II. Les églises fortifiées

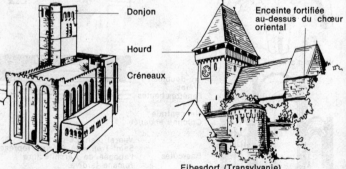

Donjon

Hourd

Créneaux

Enceinte fortifiée
au-dessus du chœur
oriental

Agde (Hérault)
A partir du IXe siècle

Eibesdorf (Transylvanie)
La construction a duré
jusqu'au XVe siècle (gothique)

20

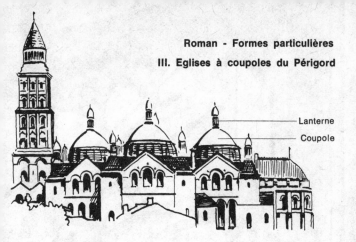

Lanterne

Coupole

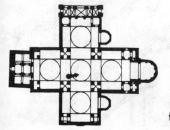

Cinq coupoles sur plan
en croix grecque

Périgueux, Saint-Front, 1120. Influences byzantines, ayant probablement
transité par l'Italie (Saint-Marc de Venise). Plan centré.

Arc-boutant gothique. Cathédrale de Chartres.

ARCHITECTURE RELIGIEUSE
GOTHIQUE

En 1268 est exécuté à Naples, sur la place du Marché, un garçon de seize ans: Conradin, dernier rejeton des Empereurs de Germanie. L'Empire, naguère si puissant, est moribond, et avec lui prend fin l'époque romane. Le « Temps sans Empereur », l'interrègne, est une période épouvantable. Brigandage et luttes entre seigneurs terrorisent le peuple qui fuit les campagnes pour se réfugier dans les villes, s'abrite derrière leurs puissantes murailles. Là, il se subdivise en catégories nettement distinctes (corporations), commerce aussi avec les autres villes (hanses), et se préoccupe de sa culture.

Mais l'influence de l'Eglise sur la ville et la vie reste prédominante. Les plus grands esprits du temps en sont issus : saint François, Albert le Grand, Thomas d'Aquin. Ses ordres enseignent l'agriculture aux paysans et les sept → arts libéraux aux élèves des écoles conventuelles. Ils bâtissent de vastes églises pour que les prédicateurs puissent s'adresser au peuple. Lors de la grande peur de la peste, ils apportent aux malades aide et encouragement, « pour la plus grande gloire de Dieu », et de l'Eglise.

Sur la France règne la sévère scholastique. Mais là, naîtront aussi les inventions révolutionnaires qui, seules, permettront l'émergence de l'architecture gothique et façonneront le visage de l'ère nouvelle : l'arc brisé libère l'architecture des contraintes imposées par la voûte sur plan carré. La charge du toit et de la voûte était antérieurement supportée par des murs massifs. Maintenant, la délicate ossature du → contrefort qui prolonge la voûte nervurée, des → colonnes engagées et des arcs-boutants contrebute la poussée et la dirige vers l'extérieur. Ainsi, les murs deviennent superflus. Ils seront percés d'immenses fenêtres qui étendront leurs vitraux multicolores de pilier en pilier, et jusque dans les hauteurs de la voûte. L'édifice gothique s'élance, toujours plus vaste, toujours plus haut, triomphe de l'espace sur la pesanteur de la pierre.

Chaque pays marque l'art gothique de son sceau original. En France, c'est la façade occidentale avec ses deux tours et sa rosace, le → triforium et la statuaire exubérante. L'Allemagne affectionne la tour unique et pointue, coiffée d'une flèche audacieusement ajourée et, dans le nord du pays, plie la brique aux formes tourmentées du gothique. En Angleterre, les voûtes tissent sur la nef, avec une débauche d'imagination, d'extraordinaires filigranes.

Seule l'Italie « classique » reste imperméable à ce « style barbare ». Mais il règne en Espagne, dans les → ateliers de France et des villes au nord des Alpes. Et cet étrange mélange de piété mystique et d'orgueil civique, de peur de l'enfer et de volonté de survivre, trouve son expression originale dans l'immensité grandiose des cathédrales, l'audace, inconnue jusqu'alors, de leurs sveltes clochers, les pieuses attitudes des statues aux membres délicats recouverts d'amples draperies.

L'esprit du temps s'exprimera dans le fantastique bouffon des chimères et des gargouilles, tout autant que dans le « Christ de Pitié » couronné d'épines et devenu, pour l'homme de l'époque gothique, symbole tout à la fois de ses propres angoisses et de ses espoirs.

Car la vie du bourgeois se déroule dans l'anonymat. Bien qu'il sache lire et écrire, il ne laisse derrière lui guère de témoignages écrits de son existence. Et même les architectes des cathédrales, comme les tailleurs de pierre, nous sont le plus souvent inconnus.

Eléments d'architecture gothique

Formes de voûtes

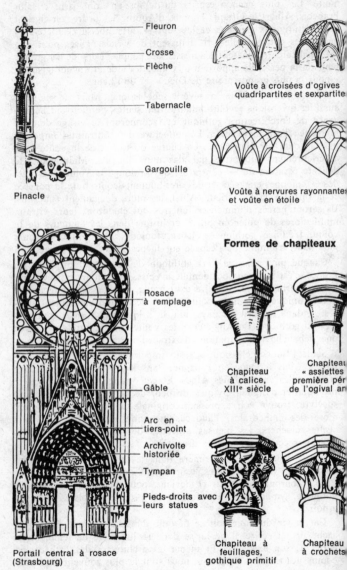

- Fleuron
- Crosse
- Flèche
- Tabernacle
- Gargouille

Pinacle

Voûte à croisées d'ogives
quadripartites et sexpartite

Voûte à nervures rayonnantes
et voûte en étoile

Formes de chapiteaux

- Rosace
  à remplage
- Gâble
- Arc en
  tiers-point
- Archivolte
  historiée
- Tympan
- Pieds-droits avec
  leurs statues

Portail central à rosace
(Strasbourg)

Chapiteau
à calice,
XIIIe siècle

Chapiteau
« assiettes
première pér
de l'ogival ar

Chapiteau à
feuillages,
gothique primitif

Chapiteau
à crochets

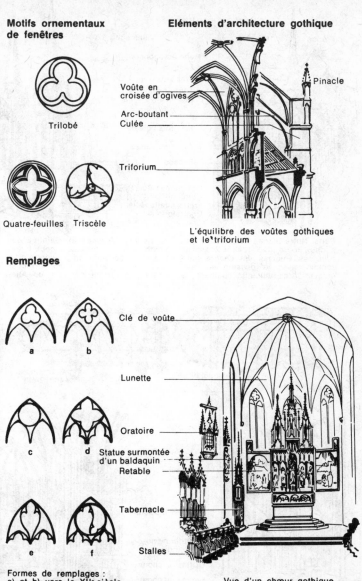

Motifs ornementaux de fenêtres

Trilobé

Quatre-feuilles   Triscèle

Eléments d'architecture gothique

Pinacle

Voûte en croisée d'ogives

Arc-boutant

Culée

Triforium

L'équilibre des voûtes gothiques et le triforium

Remplages

a

b

c

d

e

f

Formes de remplages :
a) et b) vers le XIIᵉ siècle
c) et d) XIIIᵉ-XIVᵉ siècles
e) et f) XVᵉ siècle

Clé de voûte

Lunette

Oratoire

Statue surmontée d'un baldaquin

Retable

Tabernacle

Stalles

Vue d'un chœur gothique

Gothique primitif

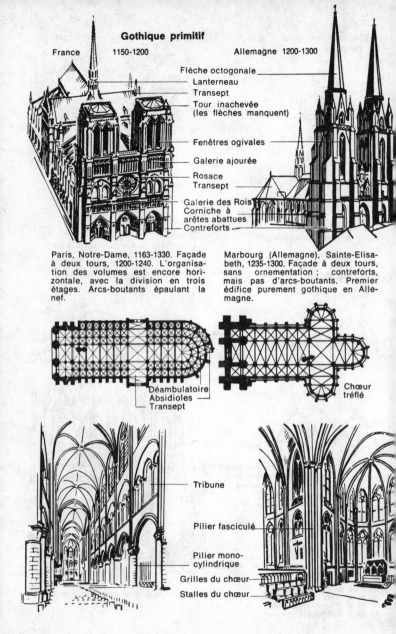

France   1150-1200   Allemagne 1200-1300

- Flèche octogonale
- Lanterneau
- Transept
- Tour inachevée (les flèches manquent)
- Fenêtres ogivales
- Galerie ajourée
- Rosace
- Transept
- Galerie des Rois
- Corniche à arêtes abattues
- Contreforts

Paris, Notre-Dame, 1163-1330. Façade à deux tours, 1200-1240. L'organisation des volumes est encore horizontale, avec la division en trois étages. Arcs-boutants épaulant la nef.

Marbourg (Allemagne), Sainte-Elisabeth, 1235-1300. Façade à deux tours, sans ornementation ; contreforts, mais pas d'arcs-boutants. Premier édifice purement gothique en Allemagne.

- Déambulatoire
- Absidioles
- Transept

Chœur tréflé

- Tribune
- Pilier fasciculé
- Pilier mono-cylindrique
- Grilles du chœur
- Stalles du chœur

26

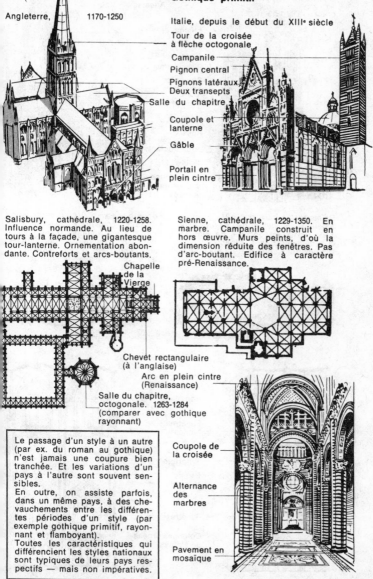

Gothique primitif

Angleterre, 1170-1250

Italie, depuis le début du XIIIe siècle

Tour de la croisée
à flèche octogonale
Campanile
Pignon central
Pignons latéraux
Deux transepts
Salle du chapitre
Coupole et
lanterne
Gâble
Portail en
plein cintre

Salisbury, cathédrale, 1220-1258. Influence normande. Au lieu de tours à la façade, une gigantesque tour-lanterne. Ornementation abondante. Contreforts et arcs-boutants.

Sienne, cathédrale, 1229-1350. En marbre. Campanile construit en hors œuvre. Murs peints, d'où la dimension réduite des fenêtres. Pas d'arc-boutant. Edifice à caractère pré-Renaissance.

Chapelle
de la
Vierge

Chevet rectangulaire
(à l'anglaise)

Arc en plein cintre
(Renaissance)

Salle du chapitre,
octogonale. 1263-1284
(comparer avec gothique
rayonnant)

Le passage d'un style à un autre (par ex. du roman au gothique) n'est jamais une coupure bien tranchée. Et les variations d'un pays à l'autre sont souvent sensibles.
En outre, on assiste parfois, dans un même pays, à des chevauchements entre les différentes périodes d'un style (par exemple gothique primitif, rayonnant et flamboyant).
Toutes les caractéristiques qui différencient les styles nationaux sont typiques de leurs pays respectifs — mais non impératives.

Coupole de
la croisée

Alternance
des
marbres

Pavement en
mosaïque

27

Gothique rayonnant

France 1200-1275 (1300)

Allemagne 1260-1400

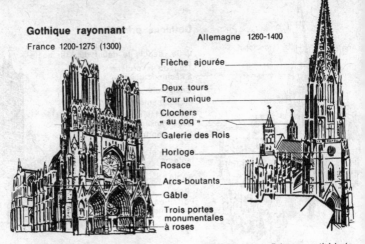

Flèche ajourée

Deux tours
Tour unique

Clochers
« au coq »

Galerie des Rois

Horloge

Rosace

Arcs-boutants

Gâble

Trois portes
monumentales
à roses

Reims, cathédrale, 1211-1311. Façade
à deux tours, datant des environs de
1295, richement décorée de statues
et ornements (roses, pinacles, cros-
ses, fleurons, gâbles, vitraux, etc.).

Fribourg - en - Brisgau, cathédrale.
1190-1513. Façade « allemande » à
tour unique surmontée d'une flèche.
Des travaux ultérieurs l'ont entièrement recouverte d'une dentelle de
pierre qui masque la distribution
en étages (Ulm, Vienne).

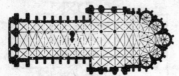

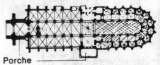

Porche

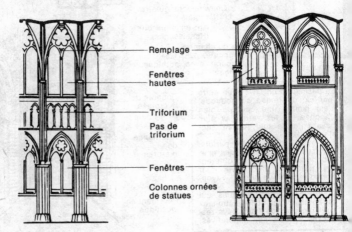

Remplage

Fenêtres
hautes

Triforium

Pas de
triforium

Fenêtres

Colonnes ornées
de statues

Gothique rayonnant

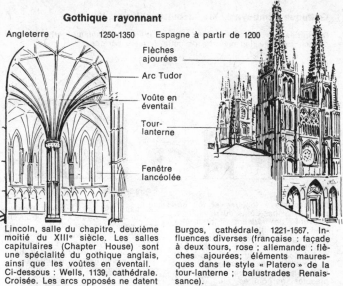

Angleterre   1250-1350   Espagne à partir de 1200

- Flèches ajourées
- Arc Tudor
- Voûte en éventail
- Tour-lanterne
- Fenêtre lancéolée

Lincoln, salle du chapitre, deuxième moitié du XIIIe siècle. Les salles capitulaires (Chapter House) sont une spécialité du gothique anglais, ainsi que les voûtes en éventail. Ci-dessous : Wells, 1139, cathédrale. Croisée. Les arcs opposés ne datent que de 1338.

Burgos, cathédrale, 1221-1567. Influences diverses (française : façade à deux tours, rose ; allemande : flèches ajourées ; éléments mauresques dans le style « Platero » de la tour-lanterne ; balustrades Renaissance).

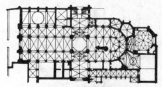

- Tour de la croisée
- Arc en plein cintre Renaissance ajoure d'une dentelle de pierre flamboyante
- Grilles du chœur

Gothique flamboyant, XIVᵉ-début du XVIᵉ siècle

Récapitulation : les principales formes d'églises jusqu'au gothique flamboyant. Exemples en majorité de cette dernière période.

Basilique

Nef centrale à fenêtres et toit séparé. Deux bas-côtés ou davantage. Souvent : un transept (il peut être double). L'architecture en briques des régions côtières d'Allemagne du Nord s'est largement dégagée des influences françaises, prescrit la simplicité des volumes et la sobriété dans la décoration (fleurons, pinacles, gargouilles, etc.).

Eglise-halle

Les bas-côtés ont la même hauteur que la nef centrale, et se trouvent donc sous le même toit. Le « lacis » de nervures des voûtes en étoile et réticulées, typiques du gothique flamboyant, — très en faveur dans les églises-halles de Haute-Saxe — est reconnaissable dans le plan.

Wismar, Saint-Nicolas, 1380-1460

Annaberg, église Sainte-Anne, 1499-1520

Gothique flamboyant, XIVᵉ-début du XVIᵉ siècle

Récapitulation : principales formes d'églises, jusqu'au gothique flamboyant. Exemples en majorité de cette dernière période.

Eglise-salle

Une seule nef. Généralement dépourvue de transept. On trouve de vastes églises-salles en Italie dès le Moyen Age. Mais leur ère de gloire est le gothique flamboyant anglais (en Allemagne, elles devront attendre la Renaissance). La chapelle d'Henri VII de l'abbaye de Westminster, à Londres, offre en même temps un exemple du style « perpendiculaire », dernier stade du gothique anglais.

Plan central

Ordonnance régulière de salles autour d'une construction centrale (voir fig. pages 14 et 21, Aix-la-Chapelle et Périgueux). Très rare à la période gothique. Trèves, église Notre-Dame, le corps central en forme de tour surplombe l'ensemble à plan carré, à l'intersection de deux bras de croix. Deux niches polygonales à chaque écoinçon.
Trèves, église Notre-Dame, vers 1242

Londres, abbaye de Westminster, chapelle d'Henri VII, 1500-1512.

Trèves, église Notre-Dame, vers 1242

31

Croisée Renaissance. Saint-André de Mantoue.

ARCHITECTURE RELIGIEUSE
RENAISSANCE

Dans la tranquillité des cités imprenables s'épanouissent l'artisanat et le commerce, et mûrissent de nouvelles inventions : la poudre, l'imprimerie, le compas, la mappemonde, la montre. Ces instruments permettent à d'audacieux savants de découvrir des terres inconnues, d'explorer les lois de la nature et, jetant sur leur monde un regard critique, de préparer les temps nouveaux. Dans les universités, une jeunesse « moderne » et « humaniste » aiguise sa pensée et, se dégageant du sévère contrôle de l'Eglise, atteint une liberté d'esprit inconnue jusqu'alors. Cités et corporations deviennent pour cette jeunesse un horizon trop étroit, et les bourgeois... petits-bourgeois.

La personnalité se révolte contre le stéréotype. Sûre d'elle-même, la nouvelle génération critique le mode de vie gothique, son écriture inélégante, les lourdeurs de la langue allemande, et jusqu'aux erreurs d'interprétation de l'Eglise. Déjà se profile l'image du Réformateur qui bouleversera son époque. Rien d'étonnant si, dans un tel contexte, tant de cathédrales gothiques demeurent inachevées, les travaux s'étant interrompus d'un seul coup, quasiment partout en même temps. De luxueuses constructions civiles - hôtels de ville, résidences - s'y substituent et témoignent, de plus en plus nettement, de la nouvelle conscience de soi d'une bourgeoisie empreinte d'humanisme. Le bourgeois a remplacé le prêtre dans la transmission de la culture et, pour la première fois dans l'histoire de l'Occident, son image parviendra jusqu'à nous grâce à de nombreux portraits. Les humanistes prédisent un « Age d'Or », ayant pour modèle l'antiquité romaine, et dans lequel « l'homme sera la mesure de toute chose ».

C'est pourquoi l'homme cultivé parle le latin, utilise « l'ancienne » calligraphie (en caractères romains). Les artistes, à la recherche des canons idéaux, prennent les mesures de l'homme et signent fièrement leurs œuvres de leur nom. C'en est fini de l'anonymat des bâtisseurs gothiques : l'artiste n'est plus serviteur mais prince. Ce mouvement prend sa source en Italie, où des despotes règnent sur les Cités-Etats, et au Vatican où siègent les « Papes de la Renaissance » aux inclinations profanes. Mais les uns et les autres s'entourent des esprits les plus éclairés du temps. Jamais auparavant un pays n'en avait vu fleurir autant, et d'aussi géniaux, en une même génération : poètes, peintres, sculpteurs, sans omettre des génies universels comme Léonard de Vinci, Michel-Ange, Raphaël, Bramante et Alberti. Et l'Italie voit aussi renaître - c'est le sens même du terme Re-naissance - et se répandre les formes nobles, aux proportions rigoureuses, du temple antique. La colonnade classique remplace le pilier sans base ni chapiteau du gothique tardif, la voûte aux mille nervures redevient berceau souligné par de puissants arcs-doubleaux, l'arc en plein cintre se substitue à l'ogive, portique et fronton plat ressuscitent la façade antique.

Les maîtres d'œuvre allemands, il est vrai, se méprennent souvent sur ces intentions. La plupart d'entre eux n'ont jamais vu l'Italie, ni contemplé les édifices de l'Antiquité ou ceux de la Renaissance classique. Ils en copient les motifs ornementaux à partir d'enluminures ou de gravures, et en décorent les façades de demeures provinciales incontestablement gothiques : l'architecture allemande ne recrée que rarement les lignes pures de la Renaissance italienne.

Renaissance Italienne
xve-xvie siècles

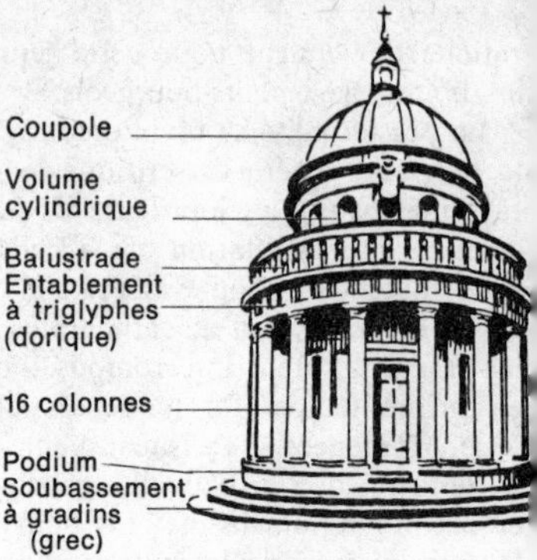

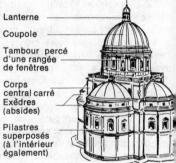

Coupole

Volume cylindrique

Balustrade
Entablement à triglyphes (dorique)

16 colonnes

Podium
Soubassement à gradins (grec)

Fig. 1. Rome, San Pietro in Montorio (« Tempietto »), 1502. Imitation d'un temple rond antique.

A l'époque de la Renaissance, la forme idéale d'église est le → plan centré coiffé d'une coupole (fig. I, 2). La croix grecque, le carré, le cercle, ainsi que leurs variantes, sont des éléments importants du plan (schéma p. 36). Cependant, le vaisseau longitudinal du plan basilical est mieux approprié aux nécessités du culte. De la synthèse de ces deux exigences naîtront deux formules :

a) la nef rectangulaire, couverte d'une voûte en berceau, se prolonge par le sanctuaire en hémicycle, lui-même couvert d'une coupole (fig. 5) ;

b) une succession de pièces à coupole, particulièrement à Padoue et Venise.

Les façades (fig. 4) sont de plus en plus rythmées de colonnes et de → pilastres, de bossages et d'arcatures à orbevoie, de fenêtres à fronton et à arceau. Des → ressauts, porches et volutes animent encore l'édifice. Les imposantes → coupoles reposent généralement sur un tambour (→ coupole) et sont couronnées d'une lanterne.

Lanterne

Coupole

Tambour percé d'une rangée de fenêtres

Corps central carré

Exèdres (absides)

Pilastres superposés (à l'intérieur également)

Fig. 2. Todi, Santa Maria della Consolazione, à partir de 1508 (Deuxième Renaissance).

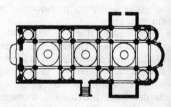

Fig. 3. Venise, église du Rédempteur, XVIe siècle.

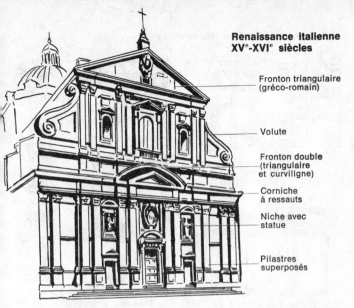

Fronton triangulaire
(gréco-romain)

Volute

Fronton double
(triangulaire
et curviligne)

Corniche
à ressauts

Niche avec
statue

Pilastres
superposés

Fig. 4. Rome, église du Jesù, 1568-75. Le style de cette église → jésuite, édifiée à la fin de la Renaissance, influencera fortement les églises baroques tant par l'ordonnance de sa façade que par son aménagement intérieur : large rez-de-chaussée relié à un étage supérieur plus étroit par de puissantes volutes, 5 frontons superposés — triangulaires et curvilignes — soulignant l'axe central (voir illustration du « style jésuite » dans le lexique).

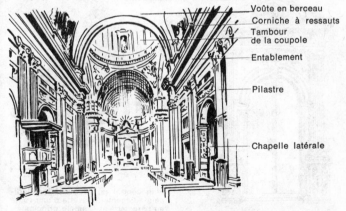

Voûte en berceau

Corniche à ressauts

Tambour
de la coupole

Entablement

Pilastre

Chapelle latérale

Fig. 5. Rome, église du Jesù. Vue intérieure. Les bas-côtés sont devenus des chapelles. L'église proprement dite se compose de la nef centrale, voûtée en berceau, attenante à une construction à plan central surmontée d'une coupole. Aménagement intérieur « baroquisé » au XVIIIᵉ siècle.

Eléments d'architecture Renaissance

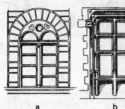

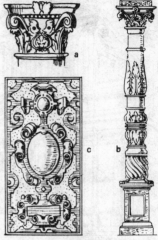

a) Première Renaissance. Fenêtre en plein cintre à pourtour en pierres de taille. Italie, 1450 - b) Fenêtre française à meneaux, 1500 - c) d) Fronton curviligne et triangulaire, colonnes → profil. Italie, début du XVIᵉ siècle.

a) Chapiteau à grotesques - b) Colonne à ornements de type « candélabre », Allemagne - c) Cartouche à effets de pentures et enroulements. « Style Floris » originaire de Hollande et qui a connu une large diffusion vers 1550.

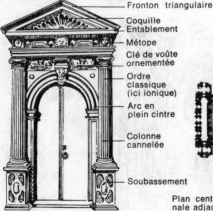

Fronton triangulaire

Coquille
Entablement

Métope

Clé de voûte
ornementée

Ordre
classique
(ici ionique)

Arc en
plein cintre

Colonne
cannelée

Soubassement

Portail Renaissance

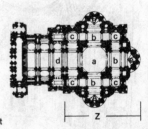

Plan central (z) avec nef longitudinale adjacente, couverte d'une voûte en berceau - a) Coupole principale - b) Bras de la croix grecque du plan primitif - c) Coupoles secondaires - d) Nef - e) Conques (Rome, Saint-Pierre, 1506-1667)

Renaissance
Allemagne,
XVIᵉ-XVIIᵉ siècles
France, 1470 à 1625

Œil-de-bœuf
Volute
Statue

Corniche

Obélisque

Niche
à statue

Pignon
brisé

Arc en
plein cintre

Pilastre

Voûte en
berceau,
à caissons,
de la nef
centrale

Berceau
transversal
coiffant la
tribune
Niche à
statue
Attique
Corniche à
ressauts
Berceau
transversal
coiffant la
chapelle
latérale

Pilastre
cannelé
(corinthien)

Munich, église jésuite Saint-Michel (Palais royal), 1583-97. Façade et aspect intérieur avec vue sur une chapelle latérale.

Les nombreuses églises médiévales couvrent largement les besoins, y compris ceux de l'époque Renaissance. Aussi les nouvelles églises s'édifient-elles essentiellement dans les villes nouvelles, ou sous la forme de chapelles palatines. Les façades s'inspirent volontiers de l'église du Gésu de Rome. Toutefois, la surcharge ornementale au goût du temps dépare souvent le classicisme pur du modèle italien. En France, les églises Renaissance sont plus rares encore. Leur façade, de forme gothique, est modifiée par l'ajout d'éléments Renaissance italienne (Dijon), ou apparaît simplement comme une sorte de vitrine d'un strict classicisme plaquée sur le devant d'une église gothique (Saint-Gervais à Paris). Quant à l'intérieur, il se présente le plus souvent comme une architecture gothique habillée de Renaissance.

Renaissance
Allemagne, XVIe-XVIIe siècles

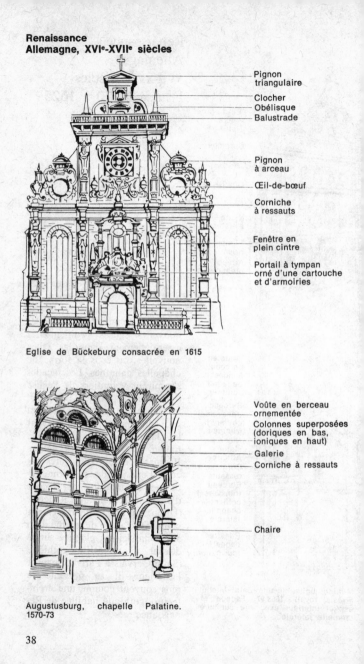

Pignon
triangulaire

Clocher
Obélisque
Balustrade

Pignon
à arceau

Œil-de-bœuf

Corniche
à ressauts

Fenêtre en
plein cintre

Portail à tympan
orné d'une cartouche
et d'armoiries

Eglise de Bückeburg consacrée en 1615

Voûte en berceau
ornementée
Colonnes superposées
(doriques en bas,
ioniques en haut)
Galerie
Corniche à ressauts

Chaire

Augustusburg, chapelle Palatine.
1570-73

Dijon, Saint-Michel. Première moitié
du XVIᵉ siècle. A l'avant d'une église
gothique façade à deux tours (également d'origine gothique) à décoration et coupoles Renaissance. Le
portail central est surmonté d'une
reproduction de temple rond.

Paris, Saint-Gervais. Façade 1616.
Intérieur gothique. L'ordonnance de
la façade, avec ses colonnes doubles isolées et superposées sur trois
étages, ainsi que la corniche à crossettes très saillantes, préfigurent
déjà le baroque. En France et dans
d'autres pays existent de nombreuses imitations de Saint-Gervais.

*Ornementation de voûte baroque. Steingaden,
église de pèlerinage (Allemagne).*

ARCHITECTURE RELIGIEUSE
BAROQUE

La Réforme est, dans l'ensemble, bien accueillie en Allemagne,
mais là où elle se heurte à une résistance organisée le sang coule
à flots : la guerre des paysans et sa sourde révolte, la furie des
anabaptistes, et, plus tard, l'interminable horreur de la guerre de
Trente Ans. De nombreuses œuvres d'art, irremplaçables, sont
détruites, et dans la froideur des temples calvinistes nus, d'où la
musique aussi était bannie, la Réforme se sclérose dans sa propre
intolérance.

C'est alors que, au XVIᵉ siècle, surgit en Italie le mouvement
de la Contre-Réforme, qui rassemble l'Eglise catholique. Ses inten-

tions ne sont que réactionnelles, ses manifestations extérieures n'ont donc pas besoin d'un style nouveau. Mais elle découvre le réservoir de forces encore inemployées que recèlent les formes de la Renaissance, ce que, plus tard, ses détracteurs appelleront, péjorativement, le baroque, c'est-à-dire « l'irrégulier bizarre ». Le style de cette phase nouvelle se caractérise par sa conception théâtrale. Et il va déferler sur toute l'Europe. Dans un élan extraordinaire, il s'abat sur les cours princières des nombreux roitelets européens, se déploie avec exubérance dans les châteaux et les parcs atteints de gigantisme, et double ses fastes en reflétant leur image dans le miroir de lacs artificiels. Le « baroque » sera, cent cinquante ans durant, une joie de vivre qui imprègne tout : la sculpture et la peinture, qui s'adaptent sans transition ni efforts à l'architecture ; la musique, qui rehaussera encore l'éclat des cérémonies religieuses et des fêtes princières ; le mobilier, le costume, la littérature - et jusqu'à la coiffure et le langage.

Jamais plus l'Eglise et la Cour ne seront aussi semblables dans leur apparat. En Italie, Saint-Pierre de Rome et l'église du Gésu étaient déjà au seuil du baroque. Si tous les éléments de la Renaissance y réapparaissent, c'est poussés vers une sorte de paroxysme théâtral. Le cercle, dans les édifices à plan centré, se déforme en ellipse, et la coupole de la croisée, à double enveloppe, devient colossale (Saint-Pierre). La nef centrale des édifices à plan basilical, coiffée d'une voûte en berceau, domine l'ensemble, tandis que les bas-côtés et le transept se muent en chapelles-niches qui n'occupent plus qu'un espace restreint mais n'en jouent pas moins un rôle architectonique important, en faisant office de culée. L'aspect extérieur de l'édifice est de plus en plus dominé par la façade qui ne cesse de croître en importance. L'accumulation d'ornements sculptés, de statues, piliers, colonnes et pilastres, le jeu de volumes tantôt concaves tantôt convexes, lui confèrent son apparence à la fois enjouée et imposante. Les sinuosités du mur de façade, tout en courbes et contre-courbes, se prolongent à l'intérieur de l'édifice. Et les architectes rivalisent avec les peintres dans les raffinements d'utilisation de la perspective, voire du trompe-l'œil : des lignes divergentes donnent l'illusion de vastes espaces, le bois se fait Et les architectes rivalisent avec les peintres dans les raffinements le plafond pour y jouer les fresques. Seule la symétrie reste rigoureuse, dans la composition d'ensemble comme dans chacun de ses éléments, restant l'image et le symbole, au milieu de cette exubérance joyeuse, de l'ordre divin.

Mais il y a aussi la face d'ombre : superstition, inquisition, chasse aux sorcières, bûchers, famine du peuple. Et lorsque la violence des déshérités s'alliera à la critique sociale des philosophes du Siècle des Lumières, la France offrira au monde l'enivrant acte final du baroque : la Révolution. Mais ce sera une ivresse de sang.

Baroque Italien 1550-1800

L'architecture des églises baroques italiennes (église-halle coiffée d'une voûte en berceau, chapelles-niches, partie orientale à plan centré couverte d'une coupole) est un prolongement de celle de la Renaissance (Eglise « jésuite » du Gésu de Rome, 1575). L'effet monumental du baroque découle essentiellement de la concentra-

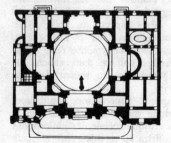

Rome, Sainte-Agnès, 1652-1677. Façade, vue intérieure et plan. Plan central, quatre bras de croix couverts d'une voûte en berceau et deux absides dans l'axe transversal. Au-dessus du carré central, avec ses niches aux quatre coins, une coupole tambour. La façade à deux tours, rythmée par ses trois étages de pilastres et colonnes, sa → balustrade et son → frontispice à l'antique, est légèrement concave.

tion et de l'accentuation des éléments d'étayage (exemples : décoration des pilastres, corniches coudées, lignes ondulées de la façade) dont les lignes de force tendent vers le haut et vers l'autel. L'église baroque s'élève souvent au centre d'un vaste monastère, ou bien s'intègre harmonieusement dans un site urbain. Le → plan central est de plus en plus en faveur, son schéma s'étire de plus en plus vers l'ellipse et ses entrecroisements.

Fronton triangulaire
Fronton curviligne
Attique
Colonnes corinthiennes) embrassant deux étages
Niche concave
Loggia
Cordon à balustrade
Niche abritant une statue
Portail à avancée convexe
Œil-de-bœuf

Rome, Saint-Charles-des-Quatre-Fontaines, 1634-63. Façade et plan. Mouvement concave-convexe de la façade comme à l'intérieur.

Rome, Sainte-Marie-de-la-Paix, 1656-1657 (en haut). Rome, Saint-André-du-Quirinal, 1678 (ci-dessous).

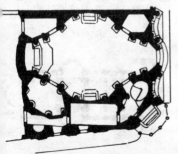

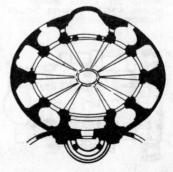

43

Baroque Allemand 1650-1800

La guerre de Trente Ans (1618-1648) avait paralysé l'architecture allemande et stoppé son développement. Mais, la paix enfin revenue, les maîtres d'œuvre, italiens d'abord puis allemands, rattrapent rapidement le retard. Les quatre plans reproduits sur ces deux pages illustrent le passage du plan longitudinal, plus sévère, d'ins-

Munich, église des Théatins, dédiée à saint Gaëtan, 1662-1667. Première église à coupole de Bavière sur le modèle des églises jésuites romaines. Maîtres d'œuvres français et italiens.

Weingarten, abbatiale, 1715-1723. Voûtes en berceau, tribunes, coupole à tambour, absides aux bras du chœur et du transept. Maîtres d'œuvres italiens et allemands.

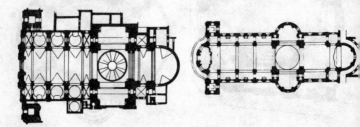

piration italienne → palladienne (qui, grâce à son classicisme, s'implantera plus particulièrement dans l'Europe du Nord protestante), à la « salle unique », volontiers ovale, et « à deux coques » qu'affectionne l'Allemagne du Sud. Celle-ci montre aussi une prédilection pour les tours (jumelles) couronnées de lanternes d'une grande richesse d'invention, et se détourne du classique pour adopter des façades et des intérieurs à décoration luxuriante.

Steingaden, église de pèlerinage de Wies, 1746-1754. Autour de la salle centrale ovale, coiffée d'une pseudo-voûte à pan sur plan carré, et du chœur allongé s'étire un étroit couloir de circulation. Riche décoration de stuc. Maître d'œuvre allemand.

Steinhausen, Saint-Pierre et Saint-Paul, 1728 à 1733. Plan central à double enveloppe. Seul l'ovale est utilisé dans le plan. Fig. : détails de l'ornementation de stuc entre le chapiteau et la fresque du plafond. Maître d'œuvre allemand.

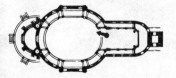

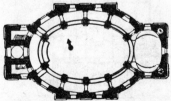

Baroque Français et Espagnol 1580-1770

En France, le baroque est essentiellement l'expression specta-culaire du mode de vie de la Cour et de l'aristocratie (construc-tion de châteaux). C'est pourquoi il est plus souvent présent dans les élégantes chapelles des châteaux que dans les grandes églises urbaines. Le baroque espagnol se caractérise quant à lui par une

Lanterne

Coupole
(à triple
enveloppe)

Attique
à volutes

Corniche
à ressauts

Tambour

Frontispice

Balustrade

Bandeau
à crossettes

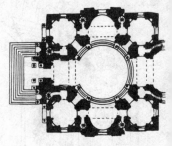

Paris, les Invalides, 1675-1706. Com-position rigoureusement mathémati-que. L'unité de mesure est le rayon de la salle centrale.

Saint-Jacques-de-Compostelle, cathédrale. Façade à deux tours, surchargée d'ornements, 1738. L'inté-rieur est roman (1078-1128). Perron.

débauche d'ornements (→ Churriguerisme). Son influence sera sensible jusqu'aux colonies d'Amérique du Sud (→ style jésuite). Le baroque affectionne le monumental jusque dans le détail : tours et coupoles, statues ornant le fronton, l'autel, le portail (atlantes), torsades des puissantes colonnes. Le baroque tardif, avec ses putti enjoués, la dissolution de la symétrie de la décoration dans l'asymétrie et le pittoresque des lignes contournées de l'ornement → rococo, illustre la tendance vers un théâtralisme profane.

Baroque et rococo

Colonne torse

Putti

Statue couronnant une tour

Volute

Pilastre

Flèche ajourée

Rocaille (ornement rococo)

Statues au-dessus de la corniche

Vase

Corniche à crossettes

Cartouche à enroulement et guirlandes

Imposte

Tympan arrondi

Hermès

Pilastre

Colonne

Socle

Portail

Coupole classique. Sankt-Blasien (Allemagne), abbatiale.

ARCHITECTURE RELIGIEUSE
CLASSICISME

On appelle Classicisme, au sens large, toutes les conceptions artistiques qui prennent pour modèle l'Antiquité. Au regard de cette acceptation du terme, on peut qualifier de « classique » l'architecture de la Renaissance italienne, hollandaise et anglaise. En Europe du Nord, à dominante protestante, la tradition classique d'inspiration palladienne reste vivace même à l'époque baroque : de sorte que, en Angleterre par exemple, on peut à peine parler d'un style baroque.

Au sens étroit du terme, on appelle « classique », en Europe, le style ayant prévalu entre 1770 et 1870 et qui prenait pour modèle l'Antiquité grecque plutôt que romaine.

A la fin du baroque, la royauté décadente de Louis XV et Louis XVI n'exerce plus qu'un pouvoir de façade, tandis que grandit l'influence des « Eminences grises ». La crédibilité de l'appareil s'est dissoute dans les ébats des bergeries et fêtes galantes. Parallèlement, partout en Europe - dans les provinces de France comme à la Cour, dans les églises des nombreuses principautés et mini-royaumes - la pompe massive du baroque succombe à l'enjouement artificiel du rococo. Et le rationalisme des Lumières, contestation du baroque, met en évidence avec une froide lucidité les origines politiques et économiques de la crise et prépare, aux cris de « Retour à la Nature », « Liberté, Egalité, Fraternité », la grande révolution de 1789.

Dans le domaine artistique, l'art classique, qui recherche non une imitation mais un renouvellement dans l'esprit de l'Antiquité, fait écho aux idées des philosophes, qui prônent la Raison et la lucidité. Il affectionne les compositions symétriques, aux lignes pures et sévères, l'équilibre des volumes, fruit d'une étude raisonnée des proportions, la sobriété dan sla couleur et la décoration. Tout cela en accord avec la formule : « Noble simplicité, grandeur sereine » par laquelle Winckelmann définit l'antiquité grecque. Ainsi, le classicisme apparaît-il comme l'expression nécessaire d'une culture qui veut se mettre à l'école des Anciens. Ce n'est pas un hasard si elle coïncide avec les découvertes archéologiques en Egypte et à Pompéi. Musées et monuments revêtent bien plus d'importance, aux yeux des amateurs d'histoire et des collectionneurs - une passion qui fait rage - que les églises, qui d'ailleurs seront peu nombreuses.

L'aspect extérieur de l'architecture classique est déterminé par la façade à fronton triangulaire du temple grec, ou par le portique. Seuls, des bandeaux, pilastres et corniches, rythment l'édifice. L'ornementation consiste en guirlandes, urnes, rosaces, auxquelles s'ajoutent les motifs grecs typiques: modillons, oves, perles, palmettes, méandres (→ ornements). En dépit du caractère monumental, l'impression d'ensemble reste celle d'une froideur distinguée, manquant parfois d'âme. La sculpture a pour thème l'être humain, et pour matériau le marbre, lisse et froid. Les peintres cherchent leur inspiration dans l'Antiquité ou l'Histoire, la ligne, pure et dure, a le pas sur la couleur. Les préoccupations artistiques du → Directoire (1795-1799) et de → l'Empire (1800-1830) sont principalement d'ordre ornemental. Elles sont le chant du cygne de l'époque classique.

Le classicisme, dernier grand style « européen », ne sera donc pas épargné par le destin : dans sa phase finale, ses forces créatrices, à vocation monumentale, se dilueront dans les petits détails de l'ornementation.

Classicisme français, 1715-1830

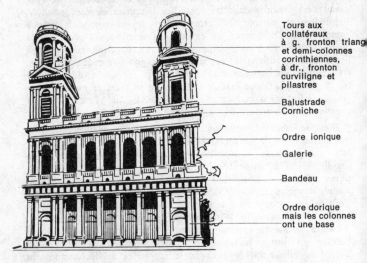

Tours aux collatéraux
à g. fronton triang
et demi-colonnes
corinthiennes,
à dr., fronton
curviligne et
pilastres

Balustrade
Corniche

Ordre ionique

Galerie

Bandeau

Ordre dorique
mais les colonnes
ont une base

Paris, Saint-Sulpice, 1646. Façade, 1733-77. Un portique à deux étages souligne la superposition, par ordre chronologique, des ordres grecs : du rez-de-chaussée au fronton triangulaire de la tour de gauche.

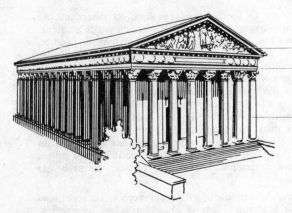

Fronton triangulaire
à tympan
sculpté

Architrave

Colonnes
corinthiennes

Paris, la Madeleine. 1806-24. Temple périptère, copie d'un temple romain corinthien. L'église s'élève sur un socle, et on y accède, du côté de la façade principale, par un perron encadré de limons.

Classicisme anglais, 1700-1900, allemand 1770-1830

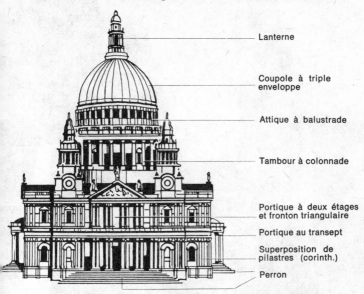

Lanterne

Coupole à triple enveloppe

Attique à balustrade

Tambour à colonnade

Portique à deux étages et fronton triangulaire

Portique au transept

Superposition de pilastres (corinth.)

Perron

Londres, cathédrale Saint-Paul, 1675-1710. L'architecture anglaise ne coïncide ni chronologiquement. ni dans l'emploi des éléments de construction avec celle du continent. Ainsi passe-t-elle directement du style Renaissance d'influence palladienne au classicisme de la cathédrale Saint-Paul — sans pratiquement avoir connu l'intermède pompeux du baroque.

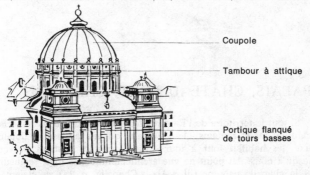

Coupole

Tambour à attique

Portique flanqué de tours basses

Sankt-Blasien, abbatiale. 1768-83. Corps central circulaire, coiffé d'une coupole (à double enveloppe, voir baroque p. 45) attenant au chœur des moines, longitudinal. De part et d'autre les cours intérieures du monastère, dont le plan s'inspire de celui des châteaux.

Mur d'enceinte et chemin de ronde. Carcassonne.

PALAIS, CHÂTEAU FORT, CHÂTEAU

Si tout le territoire de l'Empire était parsemé de palais impériaux carolingiens et romains - le souverain, qui n'avait pas de domicile fixe, les habitait tour à tour - rares sont les vestiges parvenus jusqu'à nous. Au point de vue architectonique, le logis seigneurial et la chapelle palatine (ill. : Aix-la-Chapelle, p. 14) en étaient les parties principales.

En revanche, le château fort médiéval est une résidence permanente. Ceux situés sur les hauteurs ont mieux résisté aux atteintes des siècles, et c'est pourquoi ils sont pour nous l'image même du château fort. Son système défensif comprend : la barbacane, établie en dehors des fortifications, les tours, le mur d'enceinte, les fossés et le pont-levis, le hourd, le parapet, les créneaux. Le donjon sert de plate-forme de guet et d'ultime retranchement, mais est aussi utilisé en France et en Rhénanie comme habitation. Les emplacements du logis, de la chapelle et des communs, sont fonction de la configuration du terrain. Les châteaux habités par plusieurs propriétaires peuvent comporter plusieurs donjons et plusieurs tours d'habitation (Eltz-sur-Moselle, ill. p. 56).

Les palais massifs, tout en largeur et à bossages, de la première et de la deuxième Renaissance italienne, aiment encore les colonnes superposées des édifices (notamment les théâtres) romains. Par contre, les châteaux français et allemands, tout comme ceux de la péninsule ibérique, dissimulent mal leur origine gothique sous les détails « à l'antique » et une profusion d'ornements.

La seconde Renaissance italienne préfigure à maints égards le baroque avec son → grand ordre (Palladio), ses corniches adornées de statues et → l'attique (→ Palais Valmarana, ill. p. 58). L'Allemagne et la France affectionnent les toits égayés par des pignons percés d'œils-de-bœuf, de lucarnes et de mansardes. Les tours d'angle sont mises en valeur, les tourelles d'escalier souvent de véritables merveilles architecturales.

A la fin du Moyen Age, avec la diffusion des armes à feu lourdes, la capacité défensive du château fort devient de plus en plus aléatoire. Aussi, à la Renaissance et à l'époque baroque, sera-t-il remplacé - à la suite de diverses formes transitoires - par le château ou palais. Le style de vie des seigneurs des XVIIe et XVIIIe siècles est profondément influencé par Louis XIV et le majestueux ensemble de son château de Versailles. Celui-ci servira, à travers toute l'Europe, de modèle à nombre de châteaux et résidences des rois et roitelets imitateurs du Roi-Soleil. Au strict cérémonial de la Cour répond la symétrie des formes. Pour satisfaire un besoin de « représentation » alors à son apogée, l'accent est mis sur la cour d'honneur, l'envolée des escaliers, les pièces de réception, les → galeries, les théâtres, etc. Le château baroque s'ouvre également vers l'extérieur : la cour d'honneur ne ferme plus que sur trois côtés, les parcs sont magnifiques (→ jardin, art du).

La séparation est toujours aussi nette entre la condition de la noblesse et celle du peuple, entre le château et la masure du paysan. Et pourtant : depuis qu'au XIIIe siècle artisans et paysans se sont enfin libérés du servage et s'intègrent à la vie des cités (« l'air de la ville est libérateur »), ils se donnent non sans fierté le nom de « bourgeois ».

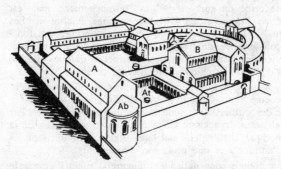

Ingelheim, 770. Reconstitution. Le souverain siège dans la basilique A, à gauche (aula regia), son trône se trouvant dans l'abside Ab. L'atrium At, entouré d'une galerie de colonnes, relie l'Aula à la basilique B (église) à cinq nefs. Les pièces de séjour et les communs sont au fond.

Roman

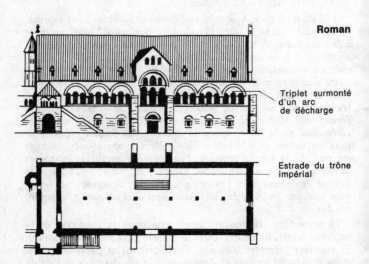

Triplet surmonté d'un arc de décharge

Estrade du trône impérial

Goslar (Allemagne) 1050-XIIᵉ siècle. Deux halles (à deux vaisseaux chacune) superposées (15×47 m). Rénovée au XIXᵉ siècle à partir des vestiges existants.

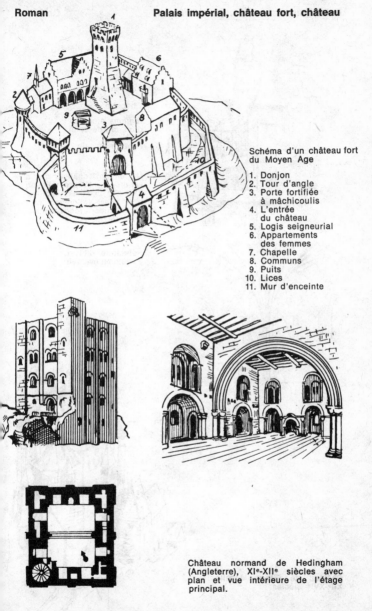

Schéma d'un château fort
du Moyen Age

1. Donjon
2. Tour d'angle
3. Porte fortifiée
   à mâchicoulis
4. L'entrée
   du château
5. Logis seigneurial
6. Appartements
   des femmes
7. Chapelle
8. Communs
9. Puits
10. Lices
11. Mur d'enceinte

Château normand de Hedingham
(Angleterre), XIe-XIIe siècles avec
plan et vue intérieure de l'étage
principal.

Toit à tuiles plates

Toit en pavillon

Chapelle

Pignons ajourés
d'un œil-de-bœuf

Fenêtre ogivale

Marienburg, château des che-
valiers, de l'ordre teutonique.
XIIIe-XVe siècles. Edifice à
trois ailes, solidement fortifié.
Importantes rénovations au
XIXe siècle.

Réfectoire d'hiver,
à voûte en éventail

Tours
d'habitation

Oriel

Château de Eltz-sur-Moselle,
XIIe-XVIe siècles.

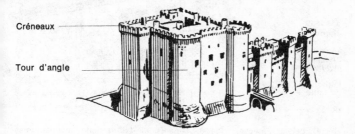

Créneaux

Tour d'angle

Tarascon (Bouches-du-Rhône) XIIᵉ-XVᵉ siècles. Un « avant-château » bas est attenant au massif édifice central.

1 Barbacane (aujourd'hui
   s'élève ici l'église
   Saint-Gimer)
2 Barbacane - Est
3 Cour du château
4 Poivrière
5 Chemin de ronde entre
   un double anneau
   de murailles
6 Voie d'accès

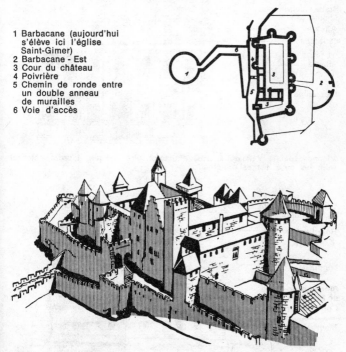

Carcassonne (Aude), XIIᵉ-XIIIᵉ siècles. Cité fortifiée construite à l'emplacement de fortifications romaines, entourée d'une double ceinture de murailles. Son caractère médiéval reste entièrement préservé.

Palais impérial, château fort, château

Renaissance

Corniche

Bandeau
Alternance
de fenêtres
à fronton
triangulaire
et curviligne

Pourtour en pierres
de taille

Bossage

Rome, palais Farnèse, 1534-50. Organisation horizontale marquée des étages, toit masqué, ligne cintrée « à l'antique » des fenêtres et du portail.

Statues couronnant
la corniche
Attique
Corniche

Atlante

Mezzanine

Vicence, palais Valmarana, 1566 (Palladio). Pré-baroque. L'ordre colossal relie les deux étages principaux.

Tour (pour la défense
et l'habitation)

Hourd

Loggia

Créneaux en forme
de boucliers
Corniche torsadée

Meurtrières

Belém. Portugal, vers 1500. Exemple typique du « gotico oceanico » (gothique océanique) portugais, qui coïncide avec la période Renaissance.

58

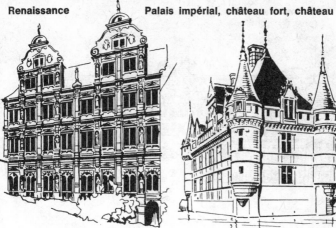

Heidelberg, Allemagne. Le château, aile de Frédéric 1601-04. L'accent est mis sur les éléments verticaux (alternance de pilastres et de statues). Pignon ajouré d'une lucarne, typiquement « nordique » avec ses volutes.

Azay-le-Rideau (Indre-et-Loire), 1518-27. Le château a « les pieds dans l'eau ». Chemin de ronde à pignons à lucarnes entre des tourelles à toits pointus. Le rôle résidentiel l'emporte sur celui de défense (pseudo-meurtrières).

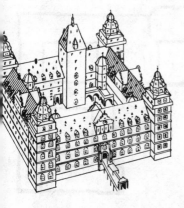

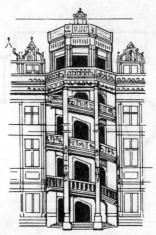

Aschaffenburg, Allemagne. Château, 1605-1614. Il ordonne symétriquement ses quatre ailes autour d'une cour centrale, « à la française ». Quatre tourelles d'escaliers aux angles de la cour, quatre tours d'angle saillantes à l'extérieur.

Blois (Loir-et-Cher), vers 1520. Tour de l'escalier. Celui-ci est à vis, et s'ouvre comme un balcon sur la cour. Très riche ornementation Renaissance.

Wurtzbourg, Allemagne, La Résidence. 1719-1746. Côté « ville ».
Ordre colossal reliant le rez-de-
chaussée et l'étage ainsi que la
mezzanine. Les angles sont souli-
gnés par des avant-corps, ainsi que
les centres des façades sur cour et
jardin. Rotonde à gauche et à droite.

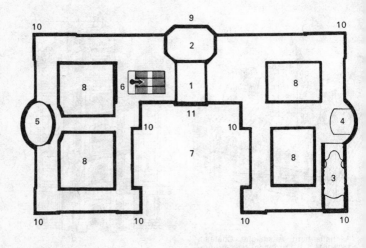

1 Salle blanche
2 Salle de l'Empereur
3 Chapelle royale
4 Salle à manger
5 Rotonde (théâtre)
6 Escalier
7 Cour d'honneur
8 Cours intérieures
9 Avant-corps côté jardin
10 Avant-corps d'angle
11 Avant-corps central
   côté ville

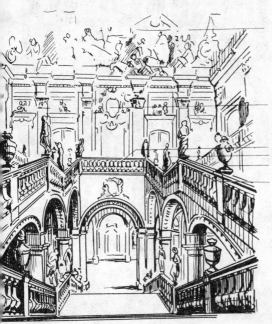

Fresques

Riches décorations
en stuc

Balustrade à
statues
et
vases sur
piédestal

Wurtzbourg,
escalier d'honneur
de la Résidence

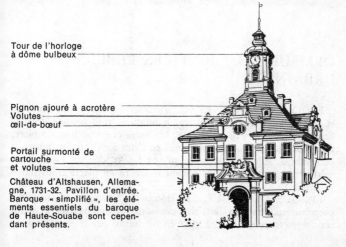

Tour de l'horloge
à dôme bulbeux

Pignon ajouré à acrotère
Volutes
œil-de-bœuf

Portail surmonté de
cartouche
et volutes

Château d'Altshausen, Allemagne, 1731-32. Pavillon d'entrée.
Baroque « simplifié », les éléments essentiels du baroque
de Haute-Souabe sont cependant présents.

Colombage Renaissance. Hôtel de ville d'Asfeld (Allemagne).

DEMEURES ET ÉDIFICES PUBLICS URBAINS

EPOQUE ROMANE. La ville romane n'ayant qu'une fonction et des dimensions modestes, ses habitations tout comme ses édifices publics sont peu nombreux. Les rares constructions de pierre parvenues jusqu'à nous à peu près en l'état sont lourdes, massives et sombres. Elles ne donnent qu'une faible idée de l'urbanisme médiéval, car les demeures étaient rarement en pierre (illustration → façade).

EPOQUE GOTHIQUE. Les Hôtels de Ville, les Maisons des corporations sont, en fait, des demeures auxquelles on a donné un caractère prestigieux. L'effet en est fourni par le → colombage qui, en Europe du Nord comme en Europe centrale, joue un rôle important : grâce à la construction en surplomb des étages, il permet de tricher avec l'étroitesse de la rue et d'agrandir quelque peu les pièces. Ces maisons à colombage ont plutôt mal résisté aux siècles, et celles parvenues jusqu'à nous datent, pour la plupart, du gothique tardif. En revanche, la construction en pierre a laissé d'éclatants témoignages de l'orgueil des professionnels et des bourgeois. Dans les Flandres, les dimensions des Hôtels de Ville et des Maisons des guildes sont imposantes, les tours (servant de beffroi et d'arsenal communal) gigantesques, les salles immenses. Ils s'adornent de presque tous les ornements que l'on peut admirer dans les grandes cathédrales. En Italie, les créneaux et le svelte campanile évoquent les demeures fortifiées bâties par les nobles du haut Moyen Age au cœur des villes. En comparaison, les Hôtels de Ville et Maisons des corporations allemands paraissent souvent modestes, même si leurs façades sont richement ornées de broderies de pierre, clochetons et sculptures.

RENAISSANCE. On ne saurait tracer de ligne de démarcation nette entre les palais et les demeures de luxe italiens, qui ont également emprunté à la demeure antique la cour intérieure, carrée ou rectangulaire, à colonnades, et s'agrémentent souvent de → mezzanines, de pilastres, et d'une galerie d'arcades aux étages supérieurs. En Allemagne, ces galeries courent souvent au rez-de-chaussée de la maison à colombages, des corbeaux (→ consoles) richement peints et sculptés supportent les étages en saillie. Rosaces, encorbellements, hautes toitures, retrouvent une faveur certaine. Dans les maisons en pierre, les pignons à gradins sont à redents, le → profil souligné d'avant-corps. La commune marque son prestige par l'abondance de la décoration (palmettes, rosaces, grotesques, bossages, coquilles, caryatides, etc.). Aux Pays-Bas, demeures hautes et sévères et Maisons des corporations s'alignent en longues rangées. En Angleterre, le style des constructions en pierre est fortement influencé par celui, à l'antique, du → Palladio.

BAROQUE. Alors que les Flandres se plongent (ill. p. 68) dans le baroque, les Pays-Bas (page 69), l'Angleterre, l'Allemagne du Nord restent quelque peu en retrait. Leurs édifices sont d'un classicisme plus sobre et, particulièrement en Hollande, tirent leurs effets du contraste des couleurs (pierre grise et brique rouge) plutôt que d'une profusion ornementale. L'Allemagne du Sud et l'Autriche préfèrent les façades rococo peintes, décorées avec luxuriance et une débauche d'imagination (stucs, arcades, ornements aux formes tourmentées).

CLASSICISME. La Grèce antique incarne l'idéal culturel du bourgeois. Cet idéal s'exprime dans les formes sévères et pures de sa demeure, tout comme dans les monuments - théâtres, musées, hôtels de ville - aux allures de temple grec. Bien des villes, surtout en Europe du Nord, ont conservé certaines villas à portique grec enfouies au fond d'un parc, ou des hôtels ressemblant à des palais avec leurs toits et fenêtres surmontés d'un fronton triangulaire, les pilastres rythmant avec noblesse les murs tant extérieurs qu'intérieurs. Souvent, meubles et frises ornementales sont déjà fabriqués dans des manufactures : voici déjà poindre l'aube de l'âge industriel.

Gothique

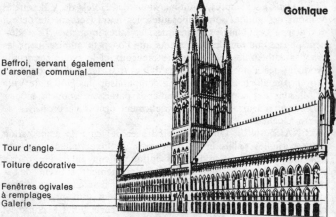

Beffroi, servant également d'arsenal communal

Tour d'angle

Toiture décorative

Fenêtres ogivales à remplages
Galerie

Ypres, Belgique. Halle aux draps 1302-1380. Cette halle de 133 m de long et à trois étages, à la riche dentelle de pierre, témoigne, à côté d'autres hôtels de ville, halles aux draps et à la viande du pays flamand, de la richesse et du génie commercial des cités.

Toit à croupe faîtière

Toit pyramidal
Encorbellement d'angle

Colombage
Tirant continu

Poteau et
Jambe
de force

Michelstadt, Allemagne. Hôtel de ville, 1484. Le → colombage est le mode de construction favori de la maison bourgeoise gothique. La galerie du rez-de-chaussée est signe de transition vers la Renaissance.

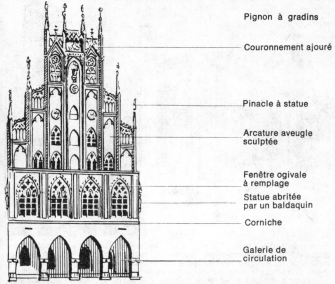

Pignon à gradins

Couronnement ajouré

Pinacle à statue

Arcature aveugle
sculptée

Fenêtre ogivale
à remplage

Statue abritée
par un baldaquin

Corniche

Galerie de
circulation

Münster, Allemagne. Hôtel de ville, XIVe siècle. La prédilection pour les façades bien rythmées est très affirmée dans les villes du nord des Alpes. Bien que des corniches soulignent les étages inférieurs, c'est la verticalité qui domine l'impression générale.

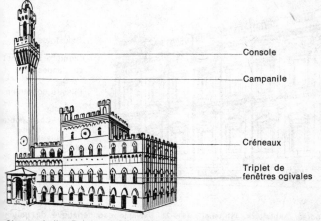

Console

Campanile

Créneaux

Triplet de
fenêtres ogivales

Sienne, Italie. Palazzo publico (Hôtel de ville), 1289. L'allure massive, la distribution horizontale préfigurent déjà nettement la sévérité classique des palais Renaissance.

Florence, Italie. Palais Gondi, cour intérieure, 1498. Leur construction
cubique, leur revêtement en pierre de taille confèrent sans doute aux
palais de la Renaissance italienne un aspect extérieur lourd et imposant,
mais leurs cours intérieures, généralement rectangulaires, respirent un
classicisme élégant avec leurs galeries d'arcades, leurs escaliers à balustrades et leurs fontaines jaillissantes. — Amsterdam, rangée de maisons
du XVIIᵉ siècle. En Hollande comme en Allemagne, bien des façades de
maisons bourgeoises de la fin du gothique traduisent les mêmes erreurs
d'interprétation dans les efforts pour suivre le goût du jour.

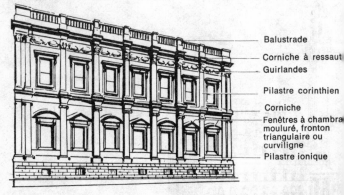

- Balustrade
- Corniche à ressaut
- Guirlandes
- Pilastre corinthien
- Corniche
- Fenêtres à chambra
  mouluré, fronton
  triangulaire ou
  curviligne
- Pilastre ionique

Londres, Angleterre. Whitehall, 1619-22. Exemple caractéristique du palladianisme anglais (ici sans ordre colossal) qui, pour l'essentiel, marquera
aussi de son empreinte le baroque anglais et une tradition classique qui
s'étendra, sans interruption, sur quatre siècles.

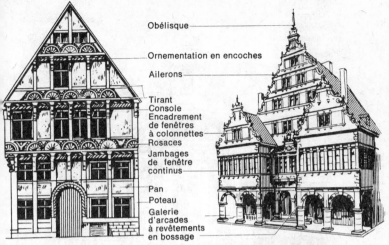

Obélisque

Ornementation en encoches

Ailerons

Tirant
Console
Encadrement
de fenêtres
à colonnettes
Rosaces
Jambages
de fenêtre
continus

Pan
Poteau
Galerie
d'arcades
à revêtements
en bossage

Höxter, Allemagne, Maison Hüttes, XVIᵉ siècle. - Paderborn, Allemagne,
Hôtel de ville, 1614-16. Presque tous les éléments — d'architecture et de
décoration — caractéristiques de la Renaissance allemande sont présents
sur ces deux façades.

Esslingen, Allemagne, Hôtel de ville, vers 1600. Façade et face postérieure.
Une façade de pierre, à pignon, ornée d'un clocher et d'une horloge astro-
nomique (à g.) sur une construction gothique en pans de bois datant du
XVᵉ siècle (à dr.). Exemple typique de la coexistence du colombage et
de la pierre dans l'architecture de la Renaissance allemande.

Bruxelles, Belgique. Trois maisons de la Grand-Place : la Rose, l'Arbre d'Or, le Cygne, 1698/1699. Les villes fortifiées souffrant de plus en plus du manque d'espace, l'architecture a recours aux dispositifs verticaux : c'est pourquoi le baroque flamand, tout particulièrement, superpose tous les éléments décoratifs en usage à l'époque dans son souci d'en offrir un éventail aussi complet que possible. Ces « façades à empilages » de maisons bourgeoises sont, en fait, une imitation mal comprise du faste des demeures seigneuriales. Les vingt-neuf Maisons des Guildes, qui s'élèvent fièrement, à côté des façades gothiques de l'Hôtel de ville et de la Maison du Roi, sur l'immense carré de la Grand-Place de Bruxelles, ne se priveraient certes pas d'un seul détail présent dans un château (c'est pourquoi il nous est matériellement impossible de les énumérer ici). Les formes des → pignons et des → fenêtres, les colonnes et leurs → ordres y compris l'ordre colossal ou majeur (bâtiment du centre), les balcons, cartouches et guirlandes (→ ornement), → balustrades, → volutes, → obélisques, corniches à statues, la richesse de l'ornementation montrent que la bourgeoisie aisée a trouvé sa propre version de l'architecture des demeures aristocratiques.

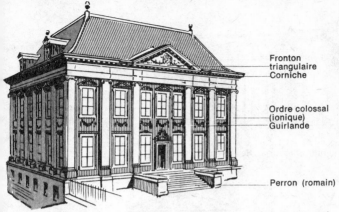

Fronton
triangulaire
Corniche

Ordre colossal
(ionique)
Guirlande

Perron (romain)

La Haye, Pays-Bas. Musée Mauritshuis, 1633-1634. Les palais de l'aristocratie s'étendent en largeur. Dans le style baroque d'Europe du Nord, la façade demeure d'une discrétion distinguée, prenant exemple sur la sévérité classique du palladianisme italien. Le grand toit décoratif reste cependant visible et ne se dissimule pas derrière la corniche.

Wasserburg-sur-Inn, Allemagne. Maison Kern, 1780, Rococo. La maison bourgeoise du temps adopte les formes massives des églises baroques d'Allemagne du Sud. Cependant, ses encorbellements, galeries d'arcades, peintures et stucs lui donnent une sorte de bonhomie enjouée, un peu mièvre, et elle atteint rarement la majesté des églises ou la pompe grave des châteaux.

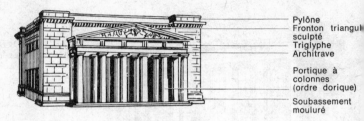

Pylône
Fronton triangul.
sculpté
Triglyphe
Architrave

Portique à
colonnes
(ordre dorique)

Soubassement
mouluré

Berlin, Allemagne. Neue Wache, 1816-18

Acrotère

Munich, Allemagne. Glytothèque (Musée), 1816-30

Quadrige

Perron à limons

Berlin, Théâtre, 1818-21

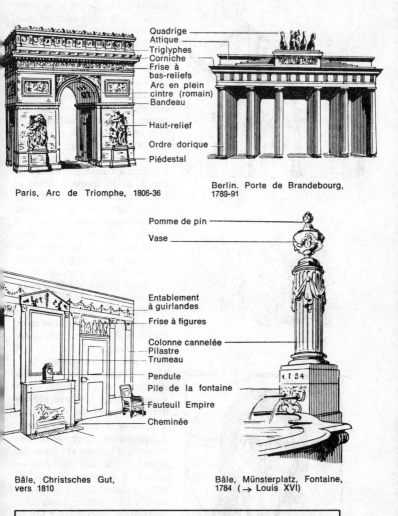

Quadrige
Attique
Triglyphes
Corniche
Frise à bas-reliefs
Arc en plein cintre (romain)
Bandeau
Haut-relief
Ordre dorique
Piédestal

Paris, Arc de Triomphe, 1806-36

Berlin. Porte de Brandebourg, 1789-91

Pomme de pin
Vase

Entablement à guirlandes
Frise à figures
Colonne cannelée
Pilastre
Trumeau
Pendule
Pile de la fontaine
Fauteuil Empire
Cheminée

Bâle, Christsches Gut, vers 1810

Bâle, Münsterplatz, Fontaine, 1784 (→ Louis XVI)

Les styles — et leurs variantes — non étudiés dans cette première partie le sont dans le lexique. On les y trouvera à leur mot-clé.

LEXIQUE ILLUSTRÉ

Abside et absidioles.
A g. Coupe de l'abside

Acanthe

Acheiropoiete, XIIᵉ siècle

Abaque → Chapiteau.

Abbaye → Cloître.

Abside (grec, « arc », « courbure » - celle de la roue du char du Soleil - voir aussi Conque, Exèdre, Tribune, Presbytère). Illustration p. 20. Extrémité arrondie d'une église, abritant le sanctuaire, derrière le chœur (chevet). Sa forme en demi-cercle vient de la basilique romaine. L'abside principale, au bout de la nef centrale, accueille le maître-autel. Les absidioles, avec les autels secondaires, sont à l'extrémité des collatéraux et du transept. Dans le style gothique, elle ferme le chœur, soit par un polygone (à cinq, sept, dix côtés) soit par un rectangle (style anglais, cistercien). L'architecture Renaissance et baroque rétablit souvent l'abside semi-circulaire.

Acanthe. Plante de la famille du chardon. La forme décorative de ses feuilles a inspiré les sculpteurs. On la trouve souvent sur les chapiteaux corinthiens (depuis 400 av. J.-C.) et leurs adaptations romaines. L'art roman utilisera une feuille d'acanthe très stylisée, l'art Renaissance et baroque reprendra les formes de l'Antiquité.

Accoudoir → Stalles du chœur.

Acheiropoiete (grec, « non fait de main d'homme »). Dans les églises orientales, épithète appliquée à certaines images, de style byzantin, du Christ et des saints : leur origine était, selon la tradition, miraculeuse. On en trouve souvent des copies, sous forme d'icônes, dans les églises orthodoxes.

Acrotère → 1) Sculpture ornementale → 2) Ornement.

Aigle (lutrin à l'). Lutrin dont le plateau a la forme d'un aigle (peut-être parce que l'aigle est l'attribut de saint Jean l'Evangéliste). Ses ailes déployées portent les livres du plain-chant. On le trouve dans le → chœur, sur le → jubé ou → l'ambon.

Agnus Dei → Symboles I.

Alignement. Ligne, fixée par le plan d'urbanisme, délimitant les limites de la voie publique, et que les constructions ne doivent pas dépasser. Aligner = ranger en ligne droite.

Allégorie. Personnification d'une notion abstraite, par ex. → les Vertus et les Vices, les sept → Arts libéraux, les sept → Œuvres de Miséricorde, le → Séducteur,→ les Muses,→ l'Eglise et la Synagogue. En général sous forme de figures humaines, avec les → attributs symboliques correspondant à l'idée qu'on veut exprimer.

Al secco → Peinture (techniques de).

Alternance des supports. Alternance de → piliers P et → colonnes C, dans la nef centrale de certaines → basiliques romanes, soit dans l'ordre P-C-P-C, soit P-C-C-P.

Ambon. Tribune pourvue d'un lutrin s'élevant, dans les anciennes églises, à la clôture du chœur ; côté sud pour la lecture de l'Epitre, côté nord pour celle des Evangiles. Forme primitive de la → chaire. On le revoit parfois dans les églises modernes. → Côté de l'Epitre, côté de l'Evangile.

Lutrin à l'aigle, gothique

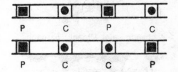

Allégorie ; danse macabre, XVIe siècle

Alternance des supports ; P piliers, C colonnes

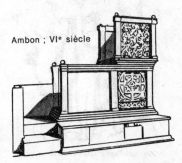

Ambon ; VIe siècle

Ane des Rameaux ; gothique tardif, fin XVᵉ siècle

Archange saint Michel ; baroque

Ange gardien ; roman, XIIᵉ siècle

Amours → Sculpture ornementale.

Amphiprostyle → Architecture religieuse, antiquité, illustr. p. 9.

Amphithéâtre → Théâtre.

Ane des Rameaux. Chariot attelé d'un âne en bois, que chevauche un Christ grandeur nature, le bras étendu dans un geste de bénédiction. Il figure depuis le Moyen Age dans la procession du dimanche des Rameaux, en souvenir de l'entrée du Christ à Jérusalem (Matthieu, 21-1-II).

Ange (grec « envoyé ») au sens biblique, pur esprit asexué, médiateur entre Dieu et les hommes. Depuis le début de l'art chrétien, généralement représenté sous forme d'un adolescent ailé, la tête ceinte d'une → auréole ; la Renaissance italienne a représenté aussi des anges féminins.

Certains anges jouent un rôle particulier et ont des attributs spécifiques : 1) les quatre **archanges** : Gabriel (illustration → sculpture ornementale : « Annonciation » (d'après Luc 1, 19 et 26-38) ; saint Michel (Daniel, 12, 1) ; Raphael (Tobie 5, 18) ; Uriel ou Ariel (d'après le Midrach) ; 2) **les anges gardiens** (Matthieu 18, 10) ; 3) les **Chérubins,** symbole des merveilles de la Création avec leur buste humain complété par les → attributs des créatures les plus parfaites : le lion, l'aigle (ailes), le taureau (d'après Ezechiel I, 5-14). L'ange, le taureau, le lion et l'aigle sont aussi les attributs des quatre Evangélistes, 4) les **Séraphins,** de l'hébreu, « anges ardents » (d'après Isaïe 6,2). Auprès du trône de Dieu, ils se voilent la face et les pieds de leurs ailes, et ont une paire d'ailes supplémentaire pour voler. Symbole de la rapidité avec laquelle la volonté de Dieu doit s'accomplir. 5) Putti → sculpture ornementale.

Antependium → Autel.

Antes (temple à) → ill. p. 9.

Apôtres. Ils sont souvent représentés au portail des églises médiévales ou sur les colonnes de la nef centrale, sauf Judas l'Iscariote, toujours remplacé par Paul. Mathias, en revanche, qui succéda à Judas, est rarement montré. Très vite, les traits du visage de Pierre, Paul et Jean se fixèrent. En outre, depuis le XIIIe siècle, tous les apôtres sont reconnaissables à leurs attributs, les armes figurant les instruments de leur martyre. Les → Evangélistes apparaissent ici sans leurs symboles particuliers.

Archange Raphaël avec Tobie ; gothique tardif

Séraphin ; roman

André,
la croix oblique
(croix de Saint-André)

Barthélemy,
le couteau,
la peau écorchée,

Jacques le Majeur,
bourdon et coquille
de pèlerin

Jacques le Mineur,
bâton
du foulon

75

Jean
imberbe, calice
et serpent

Jude Thadée,
la massue

Matthieu,
hache et
hallebarde

Paul,
l'épée

Pierre,
les clés
(une ou deux)

Philippe,
croix en tau

Simon,
la scie

Thomas,
équerre
ou lance

Appareil
ordinaire

Libage

Cyclopéen

Bossage

Appareil. 1) Appareil ordinaire, en pierres brutes irrégulières (moellons), assemblées par des joints de différentes sortes, avec ou sans mortier. 2) Le libage, pierres grossièrement taillées, en rangées généralement superposées, avec ou sans mortier. 3) L'appareil cyclopéen est composé de très grosses pierres polygonales, irrégulières, mais absolument jointives ; Appareil en bossage → pierre III, 1.

Applique → Luminaire, 7.

Appui, allège → Fenêtre, I, 3.

Aqueduc (latin *aquae ductus* = « conduite d'eau »), pont à arcades romain, souvent long de plusieurs kilomètres, qui amenait l'eau d'un lieu à un autre par un petit canal couvert ou à l'air libre. Les plus célèbres sont situés dans la campagne romaine, le Midi de la France (Nîmes), en Espagne (Ségovie).

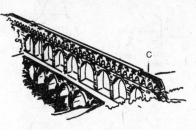

Aqueduc. C canal

Arabesque → Ornements.

Arbre de vie. L'arbre est le symbole mythologique de la force vitale. La théologie chrétienne y voit celui de la Croix, instrument de la Rédemption. C'est pourquoi la Croix est parfois représentée sous la forme d'un arbre vigoureux, par opposition à l'arbre de la science du Bien et du Mal, porteur de malédiction (I - Genèse, 2, 17). L'arbre de vie a inspiré peintres et sculpteurs: on trouve, par exemple, au tympan (→ portail) de nombreuses églises médiévales la figure de Marie sous l'arbre de vie, et celle d'Eve sous celui de la science du Bien et du Mal. Il est parfois orné de raisins et d'hosties.

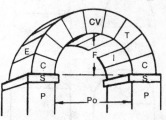

Arbre de vie ; gothique

Arc. Construction de forme courbe délimitant une voûte ou la partie supérieure d'une baie. Il absorbe la poussée et la dirige vers les supports (piliers, colonnes). Il est constitué soit de pierres taillées en forme de coin (fig. 1), soit de pierres rectangulaires liées par des joints de mortier triangulaires (fig. 2) → Arcade, contrefort. Sur les pieds-droits (P) reposent les sommiers (S), souvent reliés à un → chapiteau. On appelle tas de charge (C) la première

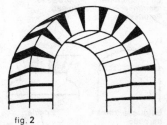

Arc, fig. 1

fig. 2

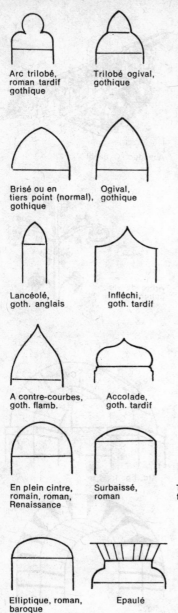

Arc trilobé,
roman tardif
gothique

Trilobé ogival,
gothique

Brisé ou en
tiers point (normal),
gothique

Ogival,
gothique

Lancéolé,
goth. anglais

Infléchi,
goth. tardif

A contre-courbes,
goth. flamb.

Accolade,
goth. tardif

En plein cintre,
romain, roman,
Renaissance

Surbaissé,
roman

Tudor, gothique
flamb. anglais

En anse de panier,
Renaissance

Elliptique, roman,
baroque

Epaulé

Surhaussé

Rampant

pierre - le premier claveau - de l'arc, clé de voûte (CV) celle qui est au sommet (en haut au milieu), portée (PO) la distance entre les pieds-droits, flèche (F), la distance de la clé de voûte à la ligne joignant les sommiers. On nomme *tête* la face antérieure, *intrados* la surface intérieure, et *extrados* la surface extérieure. On dit qu'un arc est *surhaussé* quand on a allongé la distance entre les piliers et le sommier pour lui donner plus de hauteur, et *rampant* lorsque les sommiers ne sont pas au même niveau. Arc de décharge→ FenêtreII, ill. 3. **Arc de triomphe.** 1) Monument en forme d'arcade isolée (à une ou trois ouvertures) qu'élevaient les Romains pour célébrer le triomphe d'un général victorieux, et remercier la divinité ayant présidé à cette victoire. Les architectes des églises médiévales s'en sont tout particulièrement inspirés pour leurs façades. Depuis la Renaissance et jusqu'au XIXᵉ siècle, on a construit de nombreux arcs de triomphe sur le modèle romain. (Ill. → p. 71.)

2) On appelle arc triomphal l'arc qui sépare, dans une église médiévale, la nef centrale du transept ou du → chœur. Il est souvent décoré d'un tableau représentant le Sauveur triomphant de la Mort. Parfois soustendu d'une poutre de gloire. (Ill. p. 14-15.)

Arcade (latin *arcus* = « arc »). Arcature, suite d'arcs sur piliers ou colonnes. On appelle aussi arcade une galerie dont l'un des côtés s'ouvre en arcs (galerie d'arcades).

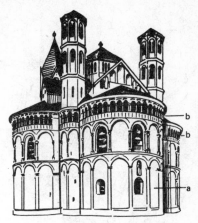

a) Arcature aveugle, b) Galerie de circulation (Cologne, Saints Apôtres ; roman)

Les *petites arcatures* qui courent sous la corniche de certaines églises romanes forment souvent une *galerie de circulation* s'ouvrant sur l'extérieur. → Basilique, Aqueduc, Maison Renaissance, p. 66, 67, Galerie.

Arcade aveugle. En orbevoie, elle décore le mur ou le rythme, mais ne le perce pas complètement. Illustration → arcade (Cologne, Saints Apôtres).

Archange → Ange I.

Arche. 1) L'arc-boutant gothique. 2) Grand arc, sous lequel on peut passer.

Arche

Architecture moderne. Le déclin des styles du XIXe siècle, voués à l'imitation (néo-baroque, néo-gothique, néo-Renaissance), commence au tournant du siècle avec → l'Art Nouveau, encore essentiellement préoccupé d'ornementation. « La forme résulte de la fonction » proclamera L.H. Sullivan (1850-1924) dans le manifeste de l'architecture moderne, qui, en conséquence,

Architecture moderne, bungalow

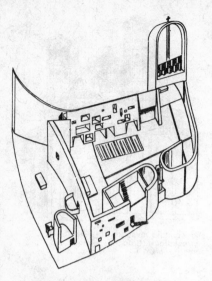

Ronchamp, Notre-Dame-du-Haut.
Vue intérieure en perspective.
Le Corbusier

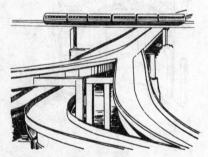

Rocade et aérotrain (Haneda, Japon)
1964

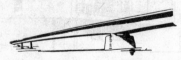

Pont d'acier (Cologne), 1966

s'exprimera d'abord par des édifices industriels et commerciaux, aux formes rigoureusement fonctionnelles. Dans les années 20, l'influence du Bauhaus, de Dessau, avec W. Gropius sera prédominante, de même que celle de Le Corbusier et d'Oud, de Rotterdam qui se consacrent de plus en plus à l'habitat. A partir de 1933, les écoles américaines regrouperont des enseignants émigrés d'Europe.

En revanche, les régimes totalitaires d'Allemagne, d'Italie et d'Union soviétique, préfèrent une architecture pompeuse, avec des réminiscences classiques ou historiques. Après la guerre, la reconstruction des villes détruites sera rarement conçue avec bonheur : logements en préfabriqué, bâtiments administratifs et tours d'habitation froids et fonctionnels, églises « sans spiritualité ». Ce sont ces constructions de béton, verre et acier, qui portent le plus nettement, avec les ouvrages de génie civil (autoroutes, rocades, aéroports, gares), l'empreinte de l'architecture moderne. Leur froideur intelligente s'intègre souvent agréablement à l'image d'ensemble de la ville, mais ne s'harmonise jamais vraiment avec les vieilles maisons de construction traditionnelle.

Architecture religieuse. Les principales formes de l'architecture sacrée sont, depuis l'époque carolingienne, la → basilique et ses variantes (fig. 1-4) et le → plan central (fig. 5) → Cathédrale, « Dôme » et « Münster » ne correspondent pas à

Fig. 1
Basilique

Fig. 2
Eglise-halle

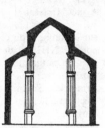

Fig. 3
Pseudo-
basilique

Fig. 4
Eglise-salle

des formes, mais à une *fonction*. Cathédrale vient de *cathedra* = le siège de l'évêque. Dôme de *Domus Dei* = Maison de Dieu est le terme allemand et italien pour désigner la cathédrale, ou encore l'église principale d'une ville sans évêché. Quant à l'appellation de Münster, elle indique l'origine : *Monasterium* = monastère.

Architrave (lat. ; grec *epistylion*), partie de l'entablement qui porte horizontalement sur les colonnes, dans l'architecture antique et les styles qui s'en inspirent.

Archivolte. 1) La face antérieure et l'intrados d'un arc (→ arc en plein cintre). On peut la considérer comme une → architrave semi-circulaire (art antique, roman, Renaissance). 2) Dans le portail à pieds-droits

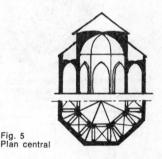

Fig. 5
Plan central

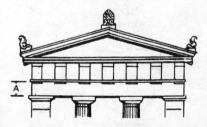

A Architrave

81

Archivolte ornementée d'un portail roman

Armes funéraires; bouclier mortuaire Renaissance, XVIᵉ siècle (précédait le défunt lors des funérailles)

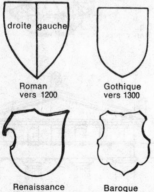

Roman
vers 1200

Gothique
vers 1300

Renaissance
XVIᵉ siècle

Baroque
XVIIᵉ-XVIIIᵉ siècles

roman et gothique, l'ensemble des voussures portant sur les → pieds-droits. (Elles sont, dans le portail roman, généralement en forme de → boudin.) L'archivolte est souvent moulurée (surtout dans l'art roman) ou ornée de figures (surtout dans l'art gothique).

Arête, voûte d'arête → Voûte.

Armes funéraires (latin *funus* = « obsèques »), armes élevées sur la tombe d'un chevalier. Depuis le XIIIᵉ siècle, elles comportent notamment le *bouclier mortuaire*.

Armoiries. Emblème en forme d'écu-bouclier du Moyen Age - souvent accompagné d'un heaume. La science des armoiries s'appelle l'héraldique. La droite et la gauche se lisent du point de vue du porteur du bouclier, et non du spectateur.

I) *Les formes des blasons.*

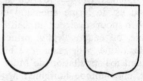

Gothique
vers 1400

Targe ; Renaissance
vers 1500

II) *Les métaux et couleurs héraldiques* sont indiqués, lorsque les armoiries ne sont pas peintes, par des points, traits ou hachures.

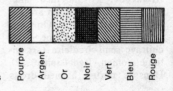

Pourpre | Argent | Or | Noir | Vert | Bleu | Rouge

III) *Les emblèmes héraldiques* sont : 1) la disposition des couleurs ; 2) des figures, êtres humains, animaux ou objets. Les blasons parlants expriment le nom de leur propriétaire sous la forme d'un rébus.

Les ornements surmontant ou entourant l'écusson sont des insignes de la dignité ou la fonction du porteur (couronne, crosse d'évêque, etc.). A noter aussi : les tenants (→ Faunes) à partir du XIVe siècle, les lambrequins, les devises → trophées.

Armoiries de la famille royale d'Angleterre : C couronne. Ci cimier. T tenants. D devise

Arts libéraux (les sept). Du latin *artes liberales*. Représentation fréquente, depuis l'époque carolingienne, sous forme de figures féminines qui, avec leurs → attributs, personnifient respectivement la grammaire, la dialectique, la rhétorique, la géométrie, la musique, l'astronomie et l'arithmétique.

Arts libéraux : la géométrie. Statue ornant un Hôtel de ville Renaissance

Art nouveau. Mouvement artistique né au tournant du siècle dans différents pays, l'impulsion étant venue d'Angleterre (William Morris) et de la gravure sur bois japonaise. En Allemagne, il porte le nom de Jugendstil (d'après la revue *Jugen* (Jeunesse), de Munich, et depuis 1895). L'art nouveau rejette la répétition sans âme des styles précédents (→ néo-gothique, néo-renaissance, Second Empire), et particulièrement leurs ornements, pour créer un décor original aux formes tourmentées. Ses thèmes favoris : les lignes sinueuses d'une flore aux tiges frêles et de longs cols de certains oiseaux (cygnes, grues,

Art nouveau, sculpture ornementale (en haut), chaise (vers 1900), chapiteau à flore, 1905 (en bas)

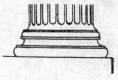

Base attique

etc.). Les meubles aux formes fonctionnelles, la décoration aux lignes rigoureuses des façades, vont frayer la voie à l'esthétique contemporaine.

Aspic → Symboles 2.

Astragale → Ornements.

Atelier. Désigne à l'origine l'atelier proprement dit, par la suite l'équipe des bâtisseurs d'une cathédrale médiévale (en Allemagne, France, Angleterre à partir du XIIIe siècle). Sans appartenir obligatoirement à une corporation, ils travaillaient cependant sous la stricte direction du chef de chantier et son représentant, et s'engageaient à ne pas divulguer les secrets artistiques et techniques de l'atelier. La sculpture monumentale est née, elle aussi, dans des ateliers. Cette collaboration entre architectes, maçons et sculpteurs, explique l'impression d'unité que donnent les cathédrales médiévales. Les grands ateliers de Strasbourg, Cologne, Vienne, Berne, et leurs nombreuses « succursales », seront les pères de la franc-maçonnerie. Au XVe siècle, lorsque la construction de cathédrales se ralentira, les ateliers seront supplantés par les corporations.

Atlante. Sculpture ornementale.

Atrium → Paradis.

Attique. 1) Mur, peu élevé, qui surmonte la corniche d'un édifice : il sert à dissimuler le toit et est souvent couronné de statues. 2) A l'intérieur, étroit panneau entre deux corniches séparant la → voûte (généralement en berceau) des supports (→ piliers, etc.). Architecture antique, Renaissance, baroque, classique. (Ill. p. 37.)

On appelle aussi attique un petit étage supplémentaire, fréquent dans l'architecture baroque française. (Ill. → Vicence, Pal. Valmarana, p. 58 ; Arc de Triomphe, p. 71.)

Attique (base). Base de la → colonne ionique, formée de deux tores séparés par une → scotie, contrairement aux colonnes d'Asie mineure, dépourvues de → plinthes.

Attribut (lat. *attributum* = « chose ajoutée »), accessoire caractéristique figurant dans la représentation artistique d'un personnage, et évoquant ses fonctions, un miracle, ou un événement de sa vie : par exemple, le trident de Neptune, les clés de saint Pierre. On trouvera les principaux attributs aux rubriques Apôtres, Saints, Muses, Auxiliateurs.

Auréole. 1) *Nimbe*, zone ou cercle lumineux entourant ou surmontant la tête des saints et des anges. 2) *Nimbe crucifère*, au disque timbré d'une croix, entourant la tête de Dieu le Père, du Christ ou la colombe du St Esprit. 3) *Gloire*, auréole enveloppant tout le corps du Christ (notamment dans les représentations du Christ ressuscité) ou de la Vierge. 4) *Mandorle* = auréole en forme d'amande. (Illustr. → Evangélistes). 5) *Nimbe carré,* désignant un personnage élevé en dignité - prêtre ou noble - mais encore vivant (du VIᵉ siècle à la période gothique)

Autel (latin *altare* = « lieu élevé », servant au sacrifice). Les parties essentielles en sont : *la table* (latin *mensa*), *le soubassement* (latin *stipes*), *le sépulcre* contenant des reliques. Eléments complémentaires : → *le tabernacle,* sorte de petite armoire, placée sur la table d'autel, contenant les Saintes Espèces ; l'*antependium,* pièce d'étoffe ou panneau tombant de la table d'autel et dissimulant le soubassement ; le *retable,* dessus d'autel, posé en arrière de celui-ci, au revers peint ou sculpté. Au Moyen Age il est solidement relié à l'autel, à l'époque gothique il s'agrandit et devient un triptyque ; le *ciborium,* édicule sur quatre colonnettes soutenant un → baldaquin et surmontant l'autel.

Il faut distinguer :

a) en fonction de leur emplacement : le *maître-autel,* qui s'élève devant ou dans l'abside ; les *autels secondaires,* dédiés aux saints.

b) en fonction de leur forme : l'*autel-table,* plaque posée sur des supports ; l'*autel-coffre,* qui abrite, dans son soubassement, un important reliquaire ; l'*autel-bloc,* au soubassement massif sur lequel déborde largement la table d'autel ; l'*autel-sarcophage* (à partir du XVIᵉ siècle),

Nimbe carré

Nimbe

Nimbe crucifère

Gloires

Autel-table ; roman

Autel-coffre ; roman, Xᵉ siècle

Autel-bloc ; roman

Ciborium surmontant un autel-sarcophage

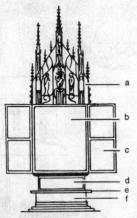

Retable gothique : a) couronnement ; b) panneau central ; c) volet ; d) predelle ; e) table d'autel ; f) soubassement

en forme de sarcophage. Le *triptyque* ou le polyptyque, à volets mobiles, a connu son plein épanouissement aux XVᵉ-XVIᵉ siècles, particulièrement dans le Nord-Est de la France, en Allemagne, en Scandinavie, aux Pays-Bas. Une prédelle (base à plusieurs compartiments, posée sur l'autel) sert de reliquaire et de soubassement au panneau fixe. De part et d'autre de celui-ci : les volets mobiles. L'ensemble est peint ou ciselé. Dans les « retables à transformation », plusieurs jeux de volets permettent de varier la présentation. Gothique tardif. Le panneau central porte un couronnement, délicat et ajouré, de fins → pinacles, → tabernacles, et des figures posées sur de légères → consoles et surmontées de → baldaquins.

c) en fonction de leur mobilité : *l'autel fixe* (altare fixum) et *l'autel portatif* (altare portatile) qui est un petit autel de voyage : table, bloc, ou à volets rabattants (→ diptyque, → triptyque).

Auxiliateurs (les quatorze). Groupe de quatorze saints qui, depuis le XIIIᵉ siècle, passent pour des intercesseurs privilégiés auprès de Dieu. L'église

Autel portatif ; roman, XIᵉ siècle

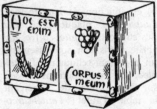

Autel-tabernacle ; moderne

baroque des « Quatorze Saints » - église de pèlerinage - leur est particulièrement consacrée.

Les Auxiliateurs les plus souvent représentés sont (avec leurs attributs) : Erasme (treuil), Eustache (cerf), Georges (dragon), Catherine (roue), Cyriaque (démon), Christophore (enfant Jésus), Dionysius (tête coupée), Achatius (croix ou couronne d'épines), Vital (coq, chaudron), Blaise (chandelles entrecroisées), Barbara (Tour), Egidius (biche), Marguerite (dragon en laisse), Pantaléon (clous ou mains clouées sur la tête).

Antependium ; roman IXe siècle

Avant-corps. Partie d'un bâtiment faisant saillie, sur toute la hauteur, toit y compris, sur → l'alignement de la façade. Peut être d'angle, latéral ou central. L'architecture Renaissance et baroque (→ pavillon) en fait grand cas pour rythmer la façade. (Ill. Wurtzbourg, p. 60.)

Balcon. Plate-forme faisant saillie à l'étage d'un bâtiment, et reposant sur des → corbeaux, modillons → consoles ou → trompes. On dit *plate-forme* lorsque les supports prennent appui sur le sol.

Baldaquin (ital. *baldacchino*, à l'origine soie précieuse de Baldac = Bagdad). 1) Dais en étoffe surmontant un trône ou le siège d'un prélat, un → autel, un lit (illustr. → lambrequin). Ou encore porté, dressé sur des mâts, au-dessus du Saint Sacrement dans les processions. 2) Petit toit de pierre, ressem-

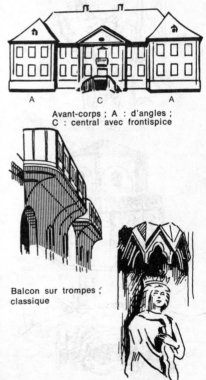

Avant-corps ; A : d'angles ; C : central avec frontispice

Balcon sur trompes ; classique

Baldaquin

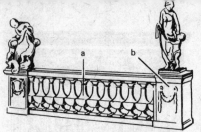

Balustrade : a) balustre; b) piédestal

L'ange de l'Annonciation portant une banderole ; roman, XIIᵉ siècle

Baptistère, VIᵉ siècle. En haut : vue extér. En bas : intér. avec la cuve baptismale

blant à une sorte de parapluie, érigé au-dessus de certaines statues (gothiques) ou des chaires, à la fois dans un but utilitaire (protection) et ornemental.

Balustre. Colonnette cylindrique ou polygonale, en pierre ou en bois, généralement de forme renflée, à profils variés, supportant une rampe ou un parapet. Cette clôture de balustres s'appelle alors *balustrade,* et elle est flanquée de piédestaux.

Bandes lombardes→ Ornements.
Bande de vagues → Ornements.
Banderole, ou phylactère, bande portant une inscription, que l'imagerie médiévale (particulièrement gothique) place entre les mains de personnages ou sur le fond du tableau. Le texte explique la scène ou le personnage, ou rapporte les propos de celui-ci.

Baptistère (latin, « édifice où l'on baptise »), construction indépendante, à plan central - souvent octogonale - élevée, pendant les premiers siècles chrétiens et le Moyen Age (IVᵉ-XVᵉ siècle) au voisinage de la cathédrale, et généralement à l'ouest de celle-ci. Il était consacré à saint Jean-Baptiste. On y administrait le baptême par immersion dans la cuve baptismale (→ piscine). Avec l'abandon de cette coutume, le baptistère a été remplacé par les → fonts baptismaux placés à l'intérieur de l'église → massif occidental.

Base→ Colonne, Attique (base).
Basilique (grec, « salle royale »). 1) A l'origine, édifice où l'archonte Basile rendait la justice,

sur la place du marché d'Athènes. 2) Rome : halle servant de tribunal ou de marché, généralement séparée en trois nefs, et parfois terminée en hémicycle (→ abside). 3) Eglise chrétienne des premiers siècles (ill. p. 11). La nef centrale, long rectangle entouré de colonnes, couverte non pas d'une voûte, mais d'une charpente - apparente ou plafonnée - est beaucoup plus haute que les deux ou quatre bas-côtés (voir schéma, B). Elle prend le jour par des fenêtres hautes surplombant ceux-ci. Les colonnes sont reliées par un entablement rectiligne (→ architrave) ou des arcades. Ce dispositif exerce une double fonction : soutenir les murs de refend du vaisseau central, et marquer la séparation entre celui-ci et les bas-côtés (arcs diaphragmes). Dans l'abside (D) se dresse, à la place occupée dans la basilique romaine par le tribunal ou le poste de contrôle du marché (→ 2), le trône de l'évêque (→ cathèdre C). Derrière l'autel (E) les grilles du chœur (F), richement décorées, séparent l'autel, les choristes, les ecclésiastiques et les lutrins (→ ambon, G) des laïques. Par la suite, l'église s'agrandira d'un transept (H), du narthex (→ portique I), et d'un atrium à ciel ouvert (ou → paradis, J) avec sa fontaine aux ablutions et sa ceinture de colonnes. Les tours ne feront leur apparition qu'ultérieurement et se contenteront, dans la plupart des cas, de flanquer la façade.

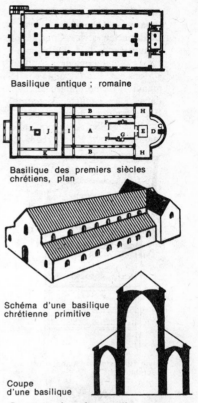

Basilique antique ; romaine

Basilique des premiers siècles chrétiens, plan

Schéma d'une basilique chrétienne primitive

Coupe d'une basilique

On a vu, dans la première partie de cet ouvrage, comment, au fil des siècles et des styles, la basilique s'est enrichie d'une → crypte, de la → croisée du transept, de → voûtes, → clochers (→ tour), etc. Jusqu'au moment où, à partir de la fin du gothique, elle sera peu à peu supplantée par → l'église - halle et (à la Renaissance et au baroque) le → plan central.
4) *Basilique à piliers :* les supports sont des piliers. 5) *Pseudobasilique* → église-halle.

Beffroi → Ill. p. 55, 64.

Besants → Ornements.

Biedermeier (style). Contraction humoristique de « Biedermann » et « Bummelmaier », deux « Monsieur Prud'homme » allemands. (Terme apparu en 1848 dans *Les Feuilles Volantes*.) Il est typique du mode de vie et du mobilier bourgeois allemand entre 1815 et 1848. Le

Style Biedermeier : canapé et secrétaire

Construction en briques gothique : Chorin (Allemagne), église cistercienne

Biedermeier n'a pas créé d'architecture, ne s'est pas exprimé dans la sculpture, mais il s'est épanoui dans le meuble et la peinture. Il simplifie le meuble Empire, a une prédilection pour les beaux bois veinés (merisier, acajou clair), les tissus d'ameublement rayés ou fleuris, les courbes douces. Il a encore des amateurs aujourd'hui.

Parmi les peintres les plus représentatifs du style Biedermeier : Spitzweg, qui interprète avec humour et tendresse des scènes de la vie d'une petite ville, Waldmüller et ses paysages paisibles, Oldach et ses portraits de bourgeois cossus.

Billettes → Ornements.

Boiseries ou lambris. Revêtements de bois, souvent richement sculptés, tapissant une pièce - murs ou plafonds. Très répandues en Europe du Nord du XVe au XVIIIe siècle. Illustration → caissons.

Bossage → Pierre à bâtir III, 1 → appareil.

Bosse → Pierre à bâtir III, 1, 2 → Sculpture II.

Boudin → Moulure à profil convexe → Tore.

Boutisse → Pierre à bâtir II.

Briques (construction en). Les briques - fabriquées avec de l'argile cuite au four - restent apparentes sur les murs de façade. Les constructions lombardes des Xe et XIe siècles serviront de modèle à celles des Pays-Bas et d'Allemagne du Nord, où la brique fut durant tout le Moyen Age un matériau très employé. Elle développera dans ces régions, du XIIe siècle jusqu'aux

90

dernières flambées du gothique, la riche gamme de ses possibilités (Gothique en briques, Ill. → Wismar, Saint-Nicolas, p. 30). Dans ces magnifiques édifices, les formes graciles de la décoration gothique seront simplifiées - ou carrément évitées - et les profils sinueux des remplages, des intrados des fenêtres et portails obtenus par le jeu des profilés.

Avec leurs vastes surfaces planes, adoucies par les courbes généreuses des arcatures aveugles (en arcs brisés) et les pignons décorés et ajourés, ces cathédrales de briques dégagent une impression de puissance et d'audace. Des céramiques de couleur sombre animent le rouge uniforme de la façade en soulignant les emplacements importants du point de vue architectonique.

Bronze → Sculpture I.

Bucrane → Ornements.

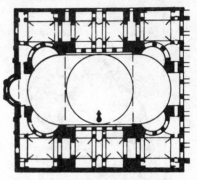

Sainte-Sophie, Constantinople ; 530-537, coupe et plan

Byzantin (art). Art chrétien de l'Empire romain oriental et de ses zones d'influence (non traité en détail dans cet ouvrage). Il rayonne à partir de Byzance (= Constantinople). L'art byzantin mêle - pour des réalisations uniquement religieuses - des éléments empruntés à l'art chrétien des premiers siècles d'Asie mineure et de l'Egypte alexandrine.

Dans son histoire, on distingue généralement trois grandes époques :

1) Une première apogée sous le règne de l'Empereur Justinien (526-65) avec la construction, à Constantinople, de

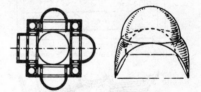

Schéma du plan central byzantin (à g.), schéma de la coupole byzantine, coupole à pendentifs (à dr.)

Bulbes byzantins, art russe

91

Sainte-Sophie. La crise icono-
claste (726-843) se dénouera
finalement par le rétablissement
du culte des images.

2) Un nouvel épanouissement à
l'époque des empereurs macé-
doniens (Renaissance macédo-
nienne, IXᵉ au XIIᵉ siècle), avec

Icône russe (saint Jean l'Evangéliste)

Plafond à caissons ;
Renaissance allemande

un rayonnement jusqu'à Venise
(Saint-Marc) et la Russie, où
l'influence de l'art byzantin res-
tera vivace jusqu'aux temps
modernes.

3) La dernière grande période
se situe à l'époque des Paléolo-
gues (1261-1453). En 1453, les
Turcs conquièrent Constantinople, mais l'art byzantin survit
jusqu'à nos jours dans le christianisme grec-orthodoxe (mont
Athos). Il a exercé une influence sensible sur l'art roman
et gothique français et allemand, ainsi que sur la « ma-
niera greca » ou « bizantina »
de l'art italien du XIIIᵉ siècle.
En architecture, sa forme préfé-
rée est le → *plan central* (fig.)
coiffé d'une *coupole,* s'unissant
souvent à la basilique pour
créer une basilique à coupole.
La statuaire en ronde-bosse est
en régression, en revanche le
travail de l'ivoire brille d'un
extraordinaire éclat. La peinture
laissera des chefs-d'œuvre : *mo-
saïques, miniatures* et → *icônes.*
La sévérité sculpturale et solen-
nelle des personnages tout en
aplats (le paysage est presque
toujours absent) résulte d'une
obéissance séculaire à des canons rigides qui, certes, a em-
pêché l'art byzantin d'évoluer,
mais a aussi assuré sa survie
pendant plus de quinze siècles,
phénomène unique dans l'histoire de l'art.

Caisson. Compartiment creux
ménagé dans un plafond (plafond à caissons), une voûte, ou
encore l'intrados d'un arc, qui
est alors « caissonné », c'est-à-

dire divisé en panneaux carrés, rectangulaires ou arrondis. Les caissons peuvent être nus, peints (de couleur unie ou ornés d'un motif), ou sculptés. Notamment aux époques antique, Renaissance et baroque.

Calotte. Partie voûtée de l'abside.

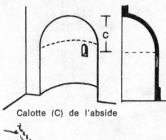

Calotte (C) de l'abside

Calvaire. Peinture ou sculpture représentant la scène de la Crucifixion, avec de nombreux personnages. Les calvaires bretons, qui s'élèvent en plein air, sont particulièrement célèbres.

Campanile → Tour 1.

Campo-santo (ital. « champ sacré »). Cimetière.

Candélabre → Luminaire.

Cannelures. Sillon ornant les colonnes ou piliers antiques et qui les font paraître plus sveltes, plus élégantes. Sur la colonne dorique, les cannelures (22) sont à arêtes vives, sur la colonne ionique et corinthienne elles sont séparées par des filets (24). Depuis la Renaissance - et jusqu'à nos jours - les cannelures sont à nouveau très utilisées, aussi bien pour décorer des colonnes et des piliers que des candélabres, lampadaires, etc.

Calvaire (Bretagne)

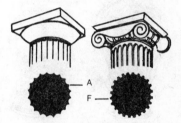

Cannelures: doriques (à g.), ioniques (à dr.). A arête ; F filet

Canon → Proportions (science des).

Cariatides → Sculpture ornementale.

Carreau. Plaque de terre cuite, généralement émaillée, qui sert de revêtement de sol, de mur, ou d'un poêle de faïence. Les carreaux de Delft, au décor bleu cobalt, sont célèbres.

Cathédrale. Désigne surtout en France, Espagne et Angleterre,

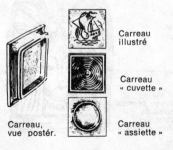

Carreau illustré

Carreau « cuvette »

Carreau « assiette »

Carreau, vue postér.

93

Art roman : cathèdre élevée sur une estrade

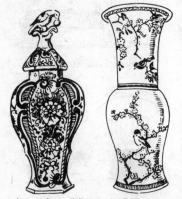

A gauche : faïence de Delft, vase à décor chinois ; à droite : vase en porcelaine de Chine

Terre cuite employée comme matériau de construction. Antéfixe étrusque

l'église épiscopale d'une ville. En Allemagne du Nord, on utilise plutôt le terme de → Dôme, et en Allemagne du Sud, celui de → Münster. → Architecture religieuse.

Cathèdre (grec). Siège épiscopal dans l'église. Dans les églises des premiers siècles, elle se trouvait au fond de → l'abside, derrière l'autel. Depuis le Moyen Age, elle est surélevée, placée dans le chœur, du → côté des Evangiles, généralement magnifiquement décorée et surmontée d'un → baldaquin. Lorsque le Pape énonce des points de doctrine « ex cathedra » (Petri) - c'est-à-dire du haut du siège de Pierre - il est infaillible.

Cella → Ill. p. 9.

Céramique (grec *Keramos* = « argile du potier »). Terme générique pour les poteries. On distingue la poterie commune (pour les usages du bâtiment, tuiles, canalisations, etc.) et la céramique fine (vaisselle, vases, artisanat d'art). On remédie à la porosité de la pâte par la cuisson à haute température et la glaçure.

Faïence (de Faenza, ville italienne célèbre pour ses poteries). Après une première cuisson, la pièce, généralement colorée, est trempée dans une glaçure stannifère et cuite à nouveau, au grand feu.

Majolique (probablement d'après l'île de Majorque) : Nom italien pour la faïence.

Porcelaine (ital. *porcellana* = coquillage appelé porcelaine, du latin *porcellus* = « porcelet »).

Faite de kaolin, de feldspath, et d'une glaçure de même densité. Le plus souvent, elle est peinte.

Le décor peut être peint :

1) Sous la glaçure, avant la seconde cuisson (ce procédé le rend plus résistant, mais n'est possible qu'avec un nombre limité de couleurs à grand feu, par ex. le bleu cobalt).

2) Sur la glaçure, fixé par une troisième cuisson à faible température (moins résistant, mais palette plus riche).

Grès, pâte dure et blanche obtenue par cuisson à haute température, et recouverte d'un vernis plombifère (procédé anglais, 1720).

Grès de Rhénanie. Sa glaçure brillante provient de l'évaporation des sels durant la cuisson à haute température. Palette réduite : cobalt, manganèse, brun (obtenu en faisant pénétrer de la fumée dans le four).

Terre cuite (ital. *terracota*). Argile qui, à la cuisson, devient blanche, jaune, brune ou rouge. Souvent employée, pour sa résistance aux intempéries, comme matériau de construction (pignon de temple étrusque, tuiles) ou dans la petite statuaire (Grèce antique : figurines de Tanagra ; Renaissance : Donatello, della Robbia, etc.).

Certosa → Cloître.

Chaire (latin *cancellus*). Tribune servant à la prédication et à l'enseignement. Elle succède à l' → ambon de l'église des premiers siècles. Depuis le XIIIᵉ siècle, elle se dresse aussi bien au → jubé que, isolée, auprès

Tanagra (terre cuite), Grèce, vers 320 av. J.-C.

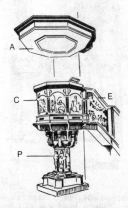

Chaire Renaissance ; A abat-voix ; C cuve ; E escalier ; P pied

95

Chanfrein : pilastre chanfreiné.

Chapelle double : étage supérieur avec tribune impériale et ouverture carrée pour l'accès à l'oratoire inférieur ; étage intérieur ; fin XIIe s.

d'un pilier de la nef ou de la → croisée du transept. Parfois, dans de petites églises (et surtout dans les temples protestants), elle s'unit à l'autel pour former un « autel-chaire ». Elle comporte toujours les mêmes éléments (pied, cuve polygonale, escalier, abat-voix), mais ils sont souvent richement décorés et, dans le style baroque, leurs contours disparaissent sous la luxuriance des ornements figuratifs. Formes particulières : la *chaire-bateau*, en forme de navire (selon Luc. 5) née en France en 1725 et dont le modèle s'étendra jusqu'en Pologne ; la *chaire extérieure*, notamment en Italie et devant les églises de pèlerinage.

Chanfrein. Arête abattue (on dit aussi biseau) d'un élément de construction. Les piliers, par exemple, sont souvent chanfreinés.

Chapelle (latin *cappa* = « manteau »), ainsi nommée d'après le manteau de saint Martin de Tours, conservé en l'oratoire du Palais royal de Paris, à un emplacement qu'on appelait capella (depuis le VIIe siècle). Plus tard, petits oratoires indépendants (chapelles des morts, etc.) ou certaines parties d'une église (chapelle absidale, du chœur, etc.).

Chapelle à double étage, ou chapelle double. En usage jusqu'aux XIIe-XIIIe siècles dans les palais et châteaux. Il s'agit de deux chapelles superposées et communicantes : l'oratoire du maître se trouve en haut, en face de l'abside, en bas, celui de ses gens, avec l'autel. Une ouverture dans le plafond de l'oratoire inférieur permet le passage de l'un à l'autre, et aux occupants de l'oratoire du maître d'avoir vue sur l'autel.

Chapelles rayonnantes → chœur.

Chapiteau (latin *capitellum* = « petite tête »). Tête de → colonne, → pilier, → pilastre au point de jonction du support et de la charge (Ill. p. 98).

Chapitre (salle du) → Cloître.

Chartreuse → Cloître.

Château fort → p. 52. (Ill. p. 54.)

Chemin de croix. Représentation en 14 scènes (stations) de la Passion du Christ depuis la condamnation par Pilate jusqu'à la Mise au Tombeau. Dans les églises catholiques, elle est souvent murale : le chemin de croix fait alors le tour de l'église. Peut aussi être à l'extérieur, sous forme de 14 édicules.

Cheminée. Foyer non clos dans une habitation ou - c'est une tendance récente - sur une terrasse. Depuis l'époque romane, elle est devenue un élément décoratif (Gelnhausen, Palais impérial). A la Renaissance, cheminées de marbre et de grès, magnifiquement ornées (Italie, Pays-Bas, France). Elles sont surmontées d'un miroir aux époques baroque et rococo. Accessoires : chenets, tisonnier, pincettes, pelle. Sur la tablette, garniture de cheminée, vases, etc.

Chéneau → Corniche.

Chérubin → Ange 3.

Chevrons → Ornements.

Chippendale. Style de mobilier anglais des années 1750, ainsi

Chapelle romane ; fin du XIIe siècle

Chemin de croix, IXe Station : Jésus portant sa croix tombe pour la troisième fois. Rococo

Chaise Chippendale

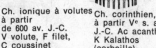

Antiquité grecque

Ch. dorique à partir
du XIe s. av. J.-C.
A Abaque, E échine,
C cannelures, Ar arête

Ch. ionique à volutes
à partir
de 600 av. J.-C.
V volute, F filet,
C coussinet

Ch. corinthien,
à partir Ve s. av.
J.-C. Ac acanthe,
K Kalathos
(corbeille)

Antiquité romaine
Ch. composite ;
éléments ioniques
et corinthiens

Roman
Ch. à godrons,
G godrons, A
astragale

Ch.-champignon,
IXe s., C calotte
G gorge

Ch. cubique à partir
du Xe siècle

Ch. cubique
ornementé,
début XIIe s.

Ch. illustré

Ch. historié,
roman tardif

Ch. à bestiaire,
roman tardif,
XIIe siècle

Ch. à palmettes,
issu du ch. cubique

Ch. forme calice,
transition roman-
gothique

Gothique
Ch.-calice
XIIIe s., souvent
pour des colonnes
adossées

Ch. à feuillage,
goth. primitif

Chap. à feuillage ;
goth. flamboyant

Ch. à crochets ;
à partir du goth.
primitif français

Ch.-assiette,
goth. prim.
anglais

Renaissance
Ch. à volutes et
feuilles d'acanthe

Ch. à grotesques

nommé d'après l'ébéniste Thomas Chippendale (1709-79). Le style Chippendale - bois préféré l'acajou - allie des formes et des éléments décoratifs du baroque anglais, du rococo français, du gothique et du style chinois, en des meubles commodes et confortables. Qualités qui l'ont remis à la mode depuis la fin du XIXe siècle.

Chœur. A l'origine, c'est l'endroit où se tiennent les chantres (→ basilique). Depuis l'époque carolingienne, on appelle chœur le prolongement, généralement carré, de la nef centrale, par-delà la → croisée du transept : c'est là que s'élève l'autel et que commence l' → abside. On désigne aussi du nom de chœur l'ensemble chœur plus abside avec le maître-autel (→ autel), → tabernacle, → stalles du chœur, éventuellement siège épiscopal (→ cathèdre). Ill. p. 25. Reposant sur des gradins, le chœur est nettement surélevé - surtout s'il y a une → crypte en dessous. Depuis l'époque romane, il est souvent entouré d'une carole (*déambulatoire*) sur laquelle il s'ouvre par des arcades. Sur le déambulatoire lui-même se greffent souvent des *chapelles rayonnantes* ou absidioles, visibles de l'extérieur. Au Moyen Age, le chœur est souvent séparé du déambulatoire et de la nef centrale par une → *clôture*, à l'époque gothique par un → *jubé*, et au baroque par des *grilles* (doxal) en ferronnerie.

D'après la forme de la clôture

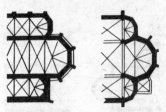

Clôtures polygonales : à droite en 7/10 pour un chœur principal, 5/10 pour les chœurs secondaires, à gauche, 5/10

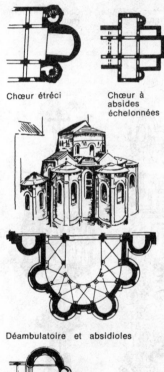

Chœur étréci

Chœur à absides échelonnées

Déambulatoire et absidioles

Chœur tréflé

99

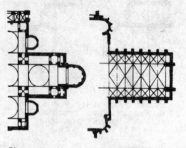

Chœur à clôture arrondie   Chœur à clôture rectiligne

Churriguerisme
Décoration
d'un pilastre

Ciboire,
vers 1400

du côté Est, on distingue le chœur : 1) arrondi (surtout roman) ; 2) rectiligne (églises cisterciennes, gothique anglais) ; 3) polygonal. D'après sa situation par rapport aux autres parties de l'église : 1) le chœur étréci, plus étroit que la nef centrale ; 2) le chœur à absides échelonnées (roman, surtout églises bénédictines → école de Hirsau), qui comporte un chœur principal et des chœurs secondaires se rapetissant progressivement ; 3) le chœur avec déambulatoire et absidioles (roman, gothique) ; 4) le chœur tréflé (roman, Rhénanie en particulier, gothique également), où les bras du transept se terminent, comme la nef, en abside. On l'appelle aussi chœur trilobé. 5) Les églises à double chevet (roman allemand) comportent un second chœur du côté Ouest, et n'ont donc pas de façade occidentale. (Ill. p. 14 et 15.)

Chœur des nonnes → Tribune.

Chronogramme. Inscription en latin, dans laquelle certaines lettres sont en caractères romains et ont donc valeur de chiffre. Leur somme donne la date de l'événement auquel se rapporte l'inscription :
ChrIstVs saLVator noster est, fVIt, erItqVe, fortIs, pIIs, pIVs et Vere MIrabILIs In sIgnIs saCratI panIs.
CIVLVVIlVIllIVVMIlLIlllCIl = 1345 (ex-voto au Béguinage d'Amsterdam).

Churriguerisme. Style de décoration baroque créé par l'architecte espagnol José Churriguera

(1650-1723). Cette ornementation surchargée, apparemment anarchique, qui envahit tous les éléments de la construction, est une manifestation parallèle au style → platéresque du gothique flamboyant espagnol.

Ciboire. Vase à couvercle destiné à conserver les hosties consacrées. A l'époque gothique, il a parfois la forme d'une flèche.

Ciborium. Baldaquin de pierre, soutenu par des colonnes, surmontant l'autel. (Ill. → autel.)

Cinq-feuilles → Ornement.

Ciseler → Orfèvrerie.

Cistercienne (architecture). De l'ordre de Cîteaux (fondé en 1098 par Robert de Cîteaux, en Bourgogne). L'architecture cistercienne se caractérise par sa volonté de simplicité, son austérité. Près de 600 églises d'Europe de l'Ouest sont conformes aux préceptes édictées par les abbayes de Clairvaux et Morimont (fondée en 1115). Caractéristiques : façades sans tours, marquées seulement d'un → lanterneau, nefs souvent recouvertes d'un plafond plat, chœur à plan orthogonal, soin particulier apporté à l'agencement des différents éléments de construction, avec des → colonnes engagées et des → consoles supportant à mi-hauteur la retombée de la voûte.

Clef de voûte. 1) Arc.
2) Pierre placée au sommet d'une voûte en croisée d'ogives (→ voûte, 3) : elle est sculptée de motifs, figures, armoiries, ou d'un nœud. 3) Clé pendante :

Abbaye cistercienne de Pontigny (Yonne) ; 1150-80.

Exemple typique d'architecture cistercienne : piliers (P) faisant corps avec le mur et n'atteignant pas le sol, et consoles (C)

Clef de voûte avec les amorces destinées à faire la liaison avec les nervures de la voûte

101

Clef de voûte en nœud ; vers 1250

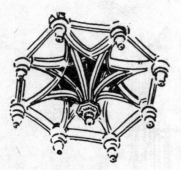

Clef pendante entre 8 nœuds ; gothique flamboyant, XVᵉ siècle.

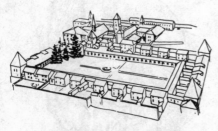

Chartreuse de Valbonne, dans le midi de la France. A l'arrière-plan, la chapelle et les communs ; au premier plan les maisonnettes individuelles (avec jardin) tout autour du cloître.

gothique flamboyant - la clé de voûte se prolonge en pendentif, formant un nœud.

Cloître (latin *claustrum* = « enceinte »). Partie centrale d'une abbaye. Le plan est dû à Benoît de Nursie (519 à Monte Cassino) : il voulait que les moines renoncent à la solitude pour une vie en communauté, régie par des règles strictes. Autour du *cloître* A, cour carrée découverte (s'inspirant du péristyle de la demeure antique; le terme de cloître vient de la « procession de la Croix » qui se déroulait autour de la cour), avec son *puits* B et sa galerie, se groupent les différents bâtiments : *la chapelle* C (généralement au Nord), la *salle capitulaire* D (salle de réunion, elle est souvent attenante à la chapelle), le *réfectoire* E, le *parloir* F et le *dortoir* ou les cellules des moines. (Plan p. 103.)

Alors que les Bénédictins s'installent volontiers en montagne et les Cisterciens (à partir de 1100) dans les vallées, les ordres mendiants (à partir du XIIIᵉ siècle) préfèrent s'établir au voisinage des villes, leur vocation étant moins contemplative que pastorale. Les Chartreux (depuis le XIIᵉ siècle) habitent des maisonnettes individuelles encadrant un cloître spacieux : leurs monastères portent le nom de Chartreuse en France, Certosa en Italie, Kartause en Allemagne. Les ordres teutoniques (à partir du XIIIᵉ siècle) ont pour monastères leurs châteaux forts. (Illustr. Marienburg, avec le réfectoire p. 56.) Les monastères baroques sont édifiés suivant un plan beaucoup moins rigide, qui s'apparente à celui des châteaux.

Clôture. Enceinte d'un monastère.

Clôture de chœur. Dans la basilique des premiers siècles, petit mur plein ou grilles séparant l'emplacement réservé aux chantres de celui où ont accès les laïcs. Elle est parfois complétée d' → ambons. Au Moyen Age, la clôture de chœur s'élève à plusieurs mètres de hauteur et, dans les églises à déambulatoire, encercle souvent le chœur tout entier, présentant aux fidèles une riche décoration en bas-reliefs. (→ Basilique.)

Colimaçon (escalier en). Escalier en spirale. Ceux du gothique tardif et de la Renaissance sont souvent une grande réussite artistique.

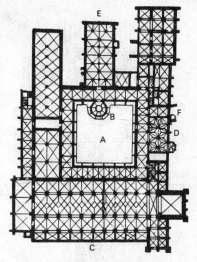

Cloître cistercien : Maulbronn, XIIIᵉ siècle

Cloître

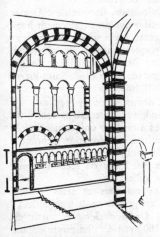

Clôture de chœur ottonienne, XIᵉ siècle. Derrière elle, une tribune à deux étages.

Clôture de chœur d'une église des premiers siècles. Elle porte des → ambons.

103

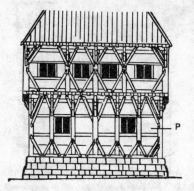

Colombage Renaissance. P = pan.

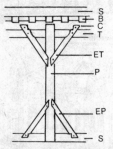

« Bonhomme » alémanique, avec
étais « au pied » et « à la tête ».
B bout d'entrait. T tiret. ET étai de
« tête ». EP étai « au pied ». P poteau. S sablière. C cadre.

Colonnades :
Rome, place
St-Pierre.
Vue partielle

Collatéral. Nef latérale d'une
église (N.d.T.: on dit aussi bas-
côtés si la hauteur de voûte est
inférieure à celle de la nef centrale).

Collégiale. 1) Eglise d'une ins-
titution religieuse accueillant
des prêtres séculiers, qui forment le chapitre collégial. 2)
Terme parfois employé pour désigner une église conventuelle.

Colombage. Mode de construction. L'ossature des murs est en
charpente, les vides entre les
poutres étant remplis de torchis
ou de briques. En France, en
Angleterre et en Allemagne, on
trouve des rangées entières de
maisons à colombages, avec des
→ encorbellements, des → pignons, et les extrémités des en-
traits richement peints et sculptés. (Ill. → console.) Ornement : rosace en éventail.

Colombier. Pigeonnier. (Les
Baux-de-Provence.)

Colonnade. Rangée de colonnes
reliées par un entablement horizontal (sans arcs). Notamment
époques baroque et classique.
Une des plus célèbres : la colonnade de la place Saint-Pierre
de Rome.

Colonne, support vertical, cylindrique. Elle est parfois utilisée à des fins uniquement décoratives, sans fonction technique.
Un seul élément indispensable :
le fût. Pilier de section ronde,
→ pilier.

Les colonnes et leurs ordres.
L'art grec connaît trois ordres :
1) *Ordre dorique,* à partir de
1100 av. J.-C. - en pierre depuis
le VIe siècle av. J.-C. Né dans
le Péloponnèse et sur la partie

du continent occupée par les Doriens, s'est étendu par la suite jusqu'aux colonies grecques. La ligne droite est prépondérante. Les éléments horizontaux et verticaux sont fortement contrastés, sans qu'aucune transition - par exemple base, chapiteau quelque peu élaboré - vienne adoucir leur opposition. Leurs → cannelures sont à arêtes vives, le tympan du fronton et les métopes de la frise sont sculptés de bas-reliefs.

2) *Ordre ionique,* depuis le VIe siècle avant J.-C. sur la côte d'Asie mineure et dans les îles avoisinantes. Formes plus légères, plus élégantes, avec des colonnes plus sveltes. La jonction de la charge et du support s'effectue en douceur, par exemple au moyen de chapiteaux à volutes et à « coussinets », de bases au pied des colonnes. Dans les temples de dimensions réduites, les colonnes sont remplacées par des figures de jeunes filles = corés (→ sculpture ornementale). Les sillons des → cannelures sont séparés par des filets ou listels. La distance entre les colonnes centrales s'accroît pour signaler l'en-

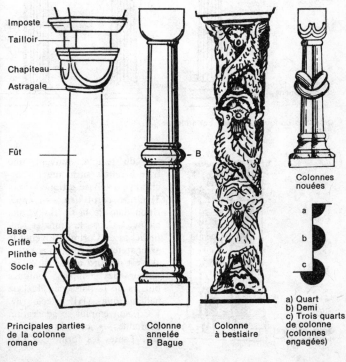

Imposte
Tailloir
Chapiteau
Astragale
Fût — B
Base
Griffe
Plinthe
Socle

Colonnes nouées

a
b
c

Principales parties
de la colonne
romane

Colonne
annelée
B Bague

Colonne
à bestiaire

a) Quart
b) Demi
c) Trois quarts
de colonne
(colonnes
engagées)

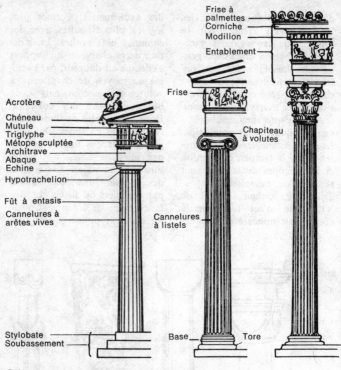

Acrotère
Chéneau
Mutule
Triglyphe
Métope sculptée
Architrave
Abaque
Echine
Hypotrachelion

Fût à entasis
Cannelures à
arêtes vives

Stylobate
Soubassement

Frise

Cannelures
à listels

Base   Tore

Frise à
palmettes
Corniche
Modillon
Entablement

Chapiteau
à volutes

Colonnes dorique, ionique, corinthienne

Ordre colossal
Renaiss. ital.

trée du temple. Souvent, une frise à reliefs surmonte l'→ architrave. → Base attique.

3) *Ordre corinthien,* son apparition date de la fin du Ve siècle av. J.-C., où le bronzier Kallimachos de Corinthe inventa le → chapiteau à feuille d'acanthe. Il n'est d'abord utilisé qu'à l'intérieur des temples ioniques puis, avec la naissance de l'art hellénistique (IIIe siècle av. J.-C.), son emploi se généralise. Profondes → cannelures à listels. Toutes les formes de l'ar-

chitecture ionique se retrouvent dans le temple corinthien, qui remplacera simplement les colonnes ioniques par celles du nouvel ordre.

L'ordre romain sera *composite*, mêlant des éléments ioniques et corinthiens, et enrichissant considérablement la gamme des motifs décoratifs.

Colonne de la Flagellation. Représentation de la colonne à laquelle le Christ fut lié pour subir la flagellation, avec les → Instruments de la Passion. Tout en haut de la colonne, le coq (Matt. 26, 34 et 69-75). A son pied, on représente aussi parfois le Christ Souffrant, couronné d'épines (→ Christ de Pitié).

Colossal (ordre), (du grec *kolossos* = « figure colossale »). Ordre d'architecture dont les colonnes embrassent plusieurs étages (généralement deux). Essentiellement utilisé par les architectes du baroque et du Second Empire pour donner une impression de puissance et de majesté → Palladio.

Columbarium. Lieu de sépulture de l'époque romaine et des premiers siècles chrétiens. En particulier dans les catacombes, où, faute de place, les urnes cinéraires étaient placées dans des niches - leur multitude faisant ressembler l'ensemble à un pigeonnier.

Communicants (chœurs secondaires). En architecture romane, chœurs secondaires reliés au chœur principal par une ouverture dans le mur de séparation.

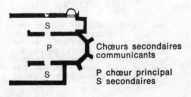

Coq
(Matth. 26, 34)

Eponge imbibée de fiel
(Jean, 19, 29)

Torche
(Jean 19, 34)

Suaire de Ste Véronique

Corde
(Matth. 27, 2)

Fouet
(Matth. 27, 26)

Epée avec l'oreille de Malchus
(Jean, 18, 10)

Lance

Christ de Pitié
(Matth., 27, 29)

Colonne de la Flagellation ; gothique. XVᵉ siècle. Piedestal baroque

Chœurs secondaires communicants

P chœur principal
S secondaires

107

Confessionnal baroque

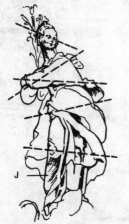

Les lignes contrappostiques (en pointillé) indiquent les déplacements, par rapport à l'axe horizontal primitif, des genoux, du bassin, des épaules et des yeux. La ligne médiane n'est déterminée que par la draperie. J jambe libre. Rococo, XVIII° siècle.

Confessionnal. Lieu pour l'écoute de la confession. Il existe depuis l'an 1600 environ sous sa forme actuelle : édicule de bois divisé en trois compartiments. Le prêtre est assis dans celui du milieu, séparé par une grille des pénitents qui prennent place à tour de rôle dans les compartiments latéraux.

Conque → 1) Abside. 2) Ornements.

Console. Saillie sur un mur, ayant pour fonction de supporter (→ corbeau → modillon) un balcon, une statue, une poutre, etc. Elle est souvent ornée, comme un → chapiteau, de motifs décoratifs ou de figures, volontiers grotesques.

Contrapposto (mot italien = « contrastes »). Jeu des correspondances assurant l'équilibre du corps humain debout, des forces ascendantes et descendantes. La position et le mouvement des membres sont déterminés par les positions de la jambe de soutien et de la jambe libre. Le déplacement des articulations correspondantes permet de donner à la représentation du corps humain la souplesse de la vie. Le contrapposto est un cas particulier de la → pondération, la répartition harmonieuse des masses.

Contreforts. L'invention de la légère voûte en croisée d'ogives (→ voûtes, 3) soulage les murs, mais la poussée est d'autant plus forte sur les piliers. C'est pourquoi les contreforts absorbent la poussée de la voûte et la charge du toit en les reportant sur des piliers supplémen-

Contreforts du chevet d'une église gothique

Consoles sculptées d'une maison à colombages : elles représentent l'Annonciation et la Visitation. Renaissance, 1559

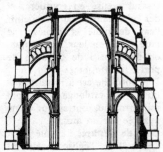

Contreforts et arcs-boutants goth., XIIIe s.

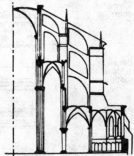

Arcs-boutants à double étage et double volée d'une église à cinq nefs et absidioles ; goth., déb. XIIIe s.

taires, situés à l'extérieur de l'édifice.

Le contrefort simple est un bloc de maçonnerie - plus large dans sa partie inférieure - en saillie sur le mur.

Les contreforts élevés le long des bas-côtés des basiliques sont reliés aux piliers de la nef centrale par des *arcs-boutants*. Ceux-ci, à leur tour, dirigent les forces vers les contreforts. C'est grâce à l'emploi des contreforts que les églises gothiques pourront atteindre leur extraordinaire élévation. (Ill. p. 25.)

Corbeau → Console.

Corbeau de pierres sous les nervures d'une voûte goth. (midi de la France)

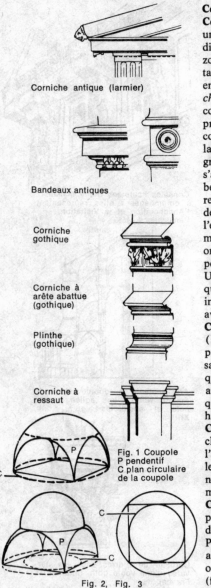

Corniche antique (larmier)

Bandeaux antiques

Corniche
gothique

Corniche à
arête abattue
(gothique)

Plinthe
(gothique)

Corniche à
ressaut

Fig. 1 Coupole
P pendentif
C plan circulaire
de la coupole

Fig. 2, Fig. 3

Coré → Sculpture ornementale.
Corniche. Moulure en saillie sur un mur, destinée à souligner les dispositifs de construction horizontaux : 1) la *plinthe*, délimitant un socle. 2) le *bandeau*, entre deux étages. 3) la *corniche à arêtes abattues* (gothique) court sous les fenêtres et se prolonge en ressaut autour des contreforts (→ contreforts). 4) la *corniche* (larmier du temple grec) entre toit et mur. Elle s'appuie souvent sur des corbeaux (→ console), a un large ressaut creusé en gouttière, et des chéneaux pour recueillir l'eau de pluie et protéger le mur. 5) Selon leur localisation, on parle aussi de corniche de porte, fenêtre, etc.
Une corniche est à ressaut lorsqu'elle se prolonge, en profil ininterrompu, tout autour d'une avancée sur un mur.
Côté de l'Epître. Le côté droit (= sud) de l'église en entrant par le portail occidental - et du sanctuaire. Ainsi nommé parce qu'on y lit l'Epître. On l'appelle aussi « côté des hommes », parce que, au Moyen Age, il leur était habituellement réservé.
Côté de l'Evangile. Le côté gauche (= nord) de l'église et de l'autel - celui d'où se fait la lecture de l'Evangile. On le nomme aussi « côté des femmes ».
Coupole. Voûte hémisphérique pouvant couvrir des salles rondes, carrées ou polygonales. Pour passer du plan polygonal au plan circulaire de la coupole, on a recours à des *pendentifs* (fig. 1 et 2). Ces triangles con-

caves sont utilisés suivant deux procédés: 1) Ils sont incorporés à la coupole lorsque la circonférence de base de celle-ci englobe les angles du carré à couvrir (fig. 1). 2) Lorsqu'elle s'inscrit à l'intérieur de ce carré, ce sont des éléments indépendants. Entre les pendentifs et la coupole s'intercale souvent un *tambour* cylindrique, qui peut être percé de fenêtres (fig. 4). Certaines coupoles portent à leur sommet un oculus - petite ouverture ronde - ou sont surmontées d'une lanterne. Les coupoles de dimensions importantes sont souvent, pour une meilleure protection, à double calotte. Dans la coupole à trompes, le plan carré est raccordé au plan circulaire - qui peut aussi être polygonal - de la coupole par des → trompes.

Cour d'honneur → Ill. p. 60.

Crochet → Ornements.

Croisée de transept (On dit aussi carré du transept) : espace carré ou rectangulaire déterminé par l'intersection de la nef et du transept. Dans l'art roman, le carré du transept est souvent l'unité de mesure adoptée pour calculer les proportions de l'édifice (→ plan carré). On parle de « croisée marquée » lorsqu'elle est séparée de la nef et du transept par des piliers ou des arcs diaphragmes (à partir de l'an 1000 environ). Dans nombre d'églises romanes, la croisée du transept est soulignée à l'extérieur par la *tour-lanterne,* qui, dans l'architecture gothique, est généralement remplacée par un gracieux lanterneau.

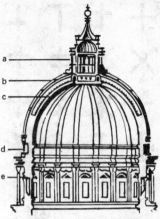

Fig. 4. Coupole à double calotte, début de l'époque baroque, XVIe s. a) lanterne, b) calotte extérieure, c) calotte intérieure avec escalier, d) attique, e) tambour

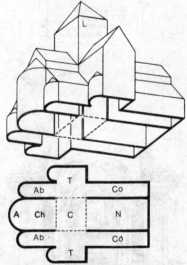

Croisée du transept. Représentation schématique de la croisée et de la tour-lanterne dans une basilique à chœur à absides échelonnées. C croisée du transept, L tour-lanterne, T transept, Ch chœur, A abside, Ab absidioles, N nef, Co collatéraux

111

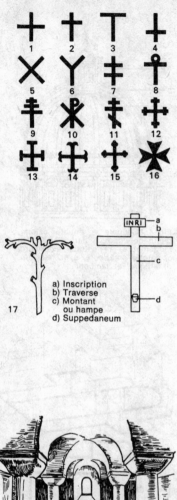

a) Inscription
b) Traverse
c) Montant ou hampe
d) Suppedaneum

Crypte carolingienne

Croisillons. Traverse d'une croix ; bras de transept.

Croix. Ornement ou symbole en usage depuis les temps les plus reculés dans nombre de cultures. Dans la religion chrétienne, symbole de la Passion ou de la personne du Christ. Lorsqu'elle représente la Crucifixion, son montant porte souvent l'inscription INRI (= Iesus Nazarenus Rex Iudaeorum) et un suppedaneum (planchette sur laquelle reposent les pieds du Christ). Formes principales de la croix chrétienne : 1) croix grecque ; 2) croix latine ; 3) croix en Tau ou croix de Saint-Antoine (souvent celle du larron) ; 4) croix de Saint-Pierre (qui fut crucifié la tête en bas) ; 5) croix de Saint-André (c'est ainsi qu'il fut supplicié) ; 6) croix en forme d'Y ; 7) croix de Lorraine; 8) croix égyptienne (crux ansata) : elle fut, à l'origine, un symbole égyptien ; 9) croix papale : ses bras correspondent aux fonctions de prêtre, maître et pasteur ; 10) Chrisme : le monogramme du Christ, d'après les lettres grecques X (= Ki) et P (= Rho), premières lettres du mot Christ; 11) croix russe ; 12) croix répétée : l'extrémité des bras « répète » une croix ; 13) croix potencée (également d'après la forme des branches); 14) croix ancrée ; 15) croix tréflée ; 16) croix de Malte ; 17) croix-arbre : arbre de vie avec feuilles, fleurs ou fruits, ou croix-branche, dépourvue de rameaux.

Crosse → Ornements.
Crucifère (nimbe) → Auréole.

Crucifix → Croix.

Crypte (grec, « allée couverte »).
Elle est issue de la *confession*
(sépulture d'un martyr, sous
l'autel) des premiers siècles
chrétiens. Dans les églises romanes, c'est une pièce semi-souter-
raine, creusée sous le chœur
oriental - rarement le chœur
occidental, dans les églises à
double chevet - destinée à la
conservation des reliques ou des
restes d'un saint (ou d'un digni-
taire laïque). Parfois, une ou
plusieurs galeries - en ce cas
elles se croisent - abritent des
chambres sépulcrales (crypte à
galeries). Venue d'Italie au
IXe siècle : la crypte-halle. Elle
comporte généralement trois
vaisseaux, sa voûte reposant sur
des colonnes; elle s'étend jusque
sous la croisée du transept et
au-delà. Et comme elle était souvent fort haute, il fallut surélever le chœur. L'école de →
Hirsau a supprimé la crypte.

Cul-de-bouteille. Bloc de verre
rond, de teinte verdâtre, plus
épais au centre que sur les
bords, et enchâssé dans du
plomb (XVe et XVIe siècles).

Culée. Support qui absorbent
la poussée latérale d'un arc,
d'une voûte, de l'arche d'un
pont et la dirigent vers le massif de maçonnerie qu'ils surmontent. → Voûte. (Ill. → Arc,
1.)

Custode. Petit édicule isolé ou
niche grillagée pour conserver
les hosties. Elle était située à
côté de l'autel (côté des Evangiles). Au gothique, la custode,
très ouvragée, est montée sur
un socle et rehaussée d'un riche

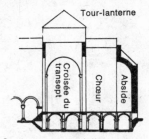

Crypte sous une église romane
(coupe longitudinale)

Culs-de-bouteille

Custode, gothique, XIVe siècle

113

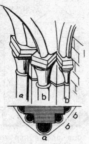

Demi-colonnes ; a) à grand diamètre, b) à petit diamètre

Diable ; art roman français, XIIᵉ siècle

couronnement (→ autel, b) pouvant atteindre 28 cm (Ulm). Au XVIᵉ siècle, elle est remplacée par le → tabernacle, sur l'autel.

Damiers → Ornements.
Déambulatoire → Chœur.
Décoration (latin *decorare* = « orner »). Ensemble des objets et ornements servant à décorer, ainsi que des motifs utilisés pour orner un objet donné, par exemple un meuble, une façade, etc. Pour les poteries, faïences, porcelaines, etc., on parle de *décor*. → ornements, sculpture ornementale.

Demi-colonne. Quart de colonne ou trois quarts de colonne. Colonne engagée ou adossée, prise en partie dans un élément porteur (pilier, mur) et se prolongeant dans les nervures de la → voûte, à laquelle, en fait, elle sert de support. Les demi-colonnes soutenant les arcs-doubleaux ont un plus grand diamètre que celles placées sous les nervures de voûte.
Denticules → Ornements.
Dents de scie → Ornements.
Détrempe → Peinture (techniques de).
Diaphragme (arc) → Basilique.
Diaphragme (mur) → Basilique.
Diables. Anges déchus, et leur chef Lucifer. Généralement symbolisés par :
- *des animaux :* serpent, aspic, basilic, dragon, lion (depuis le christianisme primitif).
- *des figures humaines :* ange noir (depuis le haut Moyen Age).
- *des grotesques :* figures cornues, aux oreilles pointues, aux pieds fourchus, affublées d'une queue, d'ailes et d'un pelage de chauve-souris, peintes en noir, rouge ou vert, armées d'un trident ou d'une fourche (représentation née en France au XIIᵉ siècle, adoptée par la suite dans de nombreux pays).
Diptère → Ill. p. 9.
Diptyque (grec : « plié en deux »). 1) Dans l'Antiquité, tablettes doubles, repliables, en bois, métal ou ivoire : leur face externe est sculptée, leur face interne enduite d'une couche de cire sur laquelle on écrivait. A Rome, les diptyques consu-

laires servaient aux nouveaux consuls à faire part de leur élection, ou encore étaient distribués à l'occasion des Jeux du cirque. 2) Au Moyen Age, retable à deux volets - sans partie médiane fixe (→ autel). 3) Petite tablette double, pliante, généralement en ivoire, sculptée de scènes bibliques ou de motifs symboliques : elle servait au cours des premiers siècles à ranger les listes des fidèles pour qui était célébrée la messe. Aux XIVᵉ-XVᵉ siècles, son usage se répand en France et en Italie, pour les prières individuelles.

Diptyque d'ivoire; premiers siècles chrétiens

Directoire. Style qui doit son nom au Directoire français (1795-99), mais est en réalité une phase tardive du style classique (→ première partie. « Classicisme »). Il s'exprime essentiellement dans les arts décoratifs, et affectionne une ornementation sobre, puisant son inspiration dans les peintures de Pompéi. Parmi ses manifestations les plus durables : la mode féminine, avec ses robes à taille haute.

Dôme (latin *domus dei* = « Maison de Dieu »). Cathédrale. Désigne également, en Allemagne, l'église principale d'une ville qui n'est pas siège épiscopal. Dans le Sud de l'Allemagne, on préfère le terme de → Münster → Cathédrale, architecture religieuse. En français, le mot a pris par extension la signification de coupole.

Donateur (latin *donator*). Portrait d'une personne qui a fait don d'une œuvre d'art à une église. Elle est généralement re-

Directoire : chaise anglaise, robe

115

Draperie, baroque

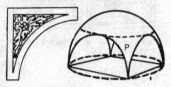

Fig. 1 Ecoinçon
Fig. 2 Coupole à pendentifs

Fig. 3 Ecoinçon
sculpté, goth.,
XIII⁰ siècle

Edicule romain

présentée à genoux (→ Orant).
Figure souvent sur les volets
latéraux d'un retable (→ Autel,
b). Ill. → épitaphe.

Donjon → première partie, « Palais impérial, château fort, château ». (Ill. p. 20.)

Double chevet (églises à) → Chœur.

Dortoir → Cloître.

Dossier → Stalles du chœur.

Doubleau (arc) → Voûte.

Doxal → Chœur.

Draperie. Disposition expressive des vêtements et des étoffes en sculpture et peinture. On la prépare par des études de drapés.

Drôlerie → 1) Stalles du chœur, 2) Ornements.

Ecailles → Ornements.

Ecoinçon. Surface triangulaire - pointe en bas - comprise entre deux arcs (*écoinçon d'arc*, fig. 3) ou entre l'arc et son encadrement orthogonal. L'écoinçon d'arc ressemble au *pendentif*, ce triangle sphérique qui permet le passage du plan carré ou polygonal au plan circulaire de la → coupole - avec cette différence que la surface de l'écoinçon d'arc est plane.

Edicule (latin, « petite maison », comprendre la Maison de Dieu). Terme ayant de nombreuses acceptions. 1) Petite construction destinée, dans les temples romains, à abriter une statue. 2) Tombeau des premiers chrétiens. 3) Au Moyen Age : chapelle privée. 4) Aujourd'hui, généralement employé pour désigner un petit édifice ouvert, de profondeur réduite,

116

adossé à un mur, reposant sur des supports et surmonté d'un fronton. 5) → Autel.

Eglise en bois. *Stavkirke*, église norvégienne, vraisemblablement inspirée de la résidence royale scandinave. On l'appelle aussi église à mâts, car ses murs sont composés de poteaux dressés verticalement, tels des mâts. Elle est couronnée de têtes de dragons et ornée de figures d'animaux de style carolingien.

Eglise fortifiée. Edifiées au Moyen Age, dans toute l'Europe, et particulièrement aux points avancés des zones frontières (par exemple à Siebenburgen contre les Hongrois, dans le midi de la France contre les Maures) ; elles devaient assurer la protection des habitants de localités dépourvues de fortifications. Elles ne comportent souvent qu'une grosse tour, mais souvent aussi un chemin de ronde, des créneaux, des meurtrières, plusieurs rangées de murailles et un fossé. (Ill. → p. 20.)

Eglise-halle. Ses collatéraux ont - contrairement à la basilique - la même hauteur que la nef centrale, et sont couverts par le même toit que celle-ci. L'éclairage de l'ensemble est assuré par les hautes fenêtres des collatéraux. Le transept est le plus souvent absent. Elles fleurissent aux XIIIᵉ et XIVᵉ siècles, notamment en Westphalie, mais aussi dans le Midi de la France, en Hollande et en Italie. La *pseudo-basilique* est une église-halle à nef centrale surélevée. et toit de type basilical, mais

Eglise en bois, Hahnenklee

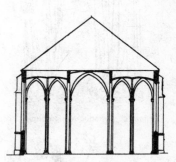

Eglise-halle gothique, à cinq vaisseaux

Pseudo-basilique

117

Eglise-salle, schéma

Eglise et Synagogue, gothique

Elan gothique

sans fenêtres éclairant directement la nef.

Eglise ronde. A plan circulaire ou polygonal → plan central.

Eglise-salle. Eglise à nef unique. Notamment répandue en Allemagne à partir de la Renaissance. Se prête particulièrement bien à la prédication.

Eglise des ordres mendiants. On appelle ainsi, aux XIIIe et XIVe siècles, les églises des Franciscains (déchaussés, Frères mineurs) et des Dominicains. Ayant des préoccupations essentiellement pastorales et mettant l'accent sur la prédication, ils simplifient (tout comme les → Cisterciens) les formes du gothique flamboyant : suppression du transept (→ basilique), de la → corniche, du → triforium, des tours, réduction des dimensions des → contreforts et des fenêtres hautes éclairant la nef centrale.

Eglise et Synagogue. 1) Allégories personnifiant le Nouveau (= chrétien) et l'Ancien Testament (celui du judaïsme « aveuglé »). Sous forme de deux figures féminines, représentées conformément à la doctrine selon laquelle la Synagogue incarne la Prophétie, l'Eglise l'Accomplissement : la première a les yeux voilés d'un bandeau et porte un étendard brisé, tandis que les Tables de la Loi s'échappent de ses mains ; la seconde apparaît victorieuse, le buste droit, couronne en tête, tenant l'étendard de la foi et le calice ; 2) Synagogue = lieu de culte de la religion juive.

Elan gothique. Hanchement prononcé, caractéristique, depuis le XIIIᵉ siècle, de nombreuses statues gothiques. Cette cambrure en S qui - à la différence du → contrapposto - naît de l'accentuation des mouvements ascendants du corps, correspond aux principes fondamentaux qui ont inspiré l'architecture gothique.

Emblème (grec, « pièce rapportée »). Dans l'art antique, décoration à thème symbolique d'un objet en métal. Plus tard, désigne d'une façon générale la figure ou l'attribut symbolique (→ Attribut → Symbole), l'insigne.

Empire (Napoléon Iᵉʳ). Phase terminale du Classicisme (→ 1ʳᵉ partie) qui, entre 1800 et 1830, rayonnera, à partir de Paris sur toute l'Europe. Il se caractérise par la division du mur en panneaux nettement délimités, la forme cubique des meubles, les lignes droites de l'encadrement des trumeaux, et l'ornementation sobre, aux éléments empruntés à l'Antiquité égyptienne et romaine (sphinx, lyre, méandres, faisceaux, etc.). Bronzes - notamment ferrures - remarquables.

Encoche → Ornements.

Encorbellement. Construction en saillie sur la façade ou à l'angle d'une maison. Il n'est généralement pas relié au sol, mais peut s'étendre sur plusieurs étages. *L'oriel*, que l'on trouve souvent sur les maisons du Sud de l'Allemagne - et particulièrement à Nuremberg - est inspiré du sanctuaire (→ Chœur) construit en

Empire : fauteuil, pied de table, vase de bronze

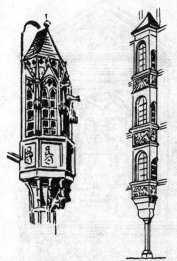

Oriel gothique XIVᵉ siècle

Encorbellement Renaissance (1605)

119

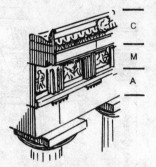

Entablement d'un temple dorique :
A Architrave, M Métope (frise),
C Corniche

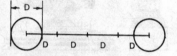

Entre-colonnement de quatre
diamètres

Epitaphe Renaissance, XVIᵉ siècle

encorbellement dans les anciennes chapelles seigneuriales (l'Eglise interdisant l'existence de pièces d'habitation au-dessus de l'autel). Les encorbellements sont très prisés par les architectures gothique tardive, Renaissance et néo-baroque (XIXᵉ siècle) qui les considèrent comme une sorte de parure de la maison.

Enroulement → Ornements.

Entablement. 1) Dans le temple grec, ensemble constitué par l'architrave, la frise et la corniche (Ill. → Colonne, Pilastre). 2) Dans certains types de colonnes, l'élément qui se trouve entre le chapiteau et l'imposte (Illustr. → Imposte).

Entasis. Amincissement du fût d'une colonne, du bas vers le haut. (Ill. → Colonne.)

Entre-colonnement. Intervalle séparant deux colonnes. On le mesure en divisant la distance entre leurs axes par le diamètre inférieur de la colonne, qui est lui-même l'unité de mesure (→ Module) de l'entre-colonnement. L'effet produit par une colonnade dépend essentiellement de son entre-colonnement.

Entrelacs → Ornements.

Epistyle → Architrave.

Epitaphe (grec, « inscription funéraire »). Monument commémoratif pour un défunt - en usage à partir du XIVᵉ siècle sous forme d'une plaque fixée verticalement au mur de l'église (à l'extérieur ou à l'intérieur), à un pilier, ou encore élevée dans le cloître. Mais l'épitaphe n'est pas un → tombeau, elle ne se trouve ni devant ni au-

Les évangélistes (représentés par leurs symboles). Tympan d'un portail gothique.

dessus d'une sépulture. On distingue deux formes principales : 1) la plaque porte seulement une effigie du défunt, telle une pierre tombale verticale ; 2) par la suite, elle s'enrichira de personnages : on verra par exemple le défunt agenouillé en → orant, entouré de sa famille, au pied de la Croix. Puis, au baroque, l'épitaphe deviendra souvent une imposante construction à plusieurs étages, à l'ornementation chargée de significations symboliques.

Estrade. Plancher surélevé (on y accède par une ou plusieurs marches) d'une partie d'une pièce. Par exemple devant un trône (Illustr. → Cathèdre), un autel, un tombeau, dans un encorbellement, etc.

Evangélistes. Auteurs des quatre Evangiles du Nouveau Testament : Matthieu, Marc, Luc, Jean (Matthieu et Jean étant également des → apôtres). Depuis le IVe siècle, ils sont représentés par des symboles ailés (l'ange pour Matthieu, le lion pour Marc, le bœuf pour Luc, l'aigle pour Jean) ou encore accompagnés de ces figures qui ont alors qualité d'attributs (d'après la vision d'Ezéchiel 1, 5-14). Ils entourent souvent le Christ en majesté - volontiers réunis, jusqu'au XIIIe siècle, en un seul groupe, le *Tétramorphe,* figurant aussi comme ornement de chaires, pendentifs de coupoles, etc.

Eventail (rosace en) → Ornements.

Exèdre. Banc semi-circulaire placé au fond de l'abside.

Extrados → Arc.

Ex-voto (latin *votum* = « vœu »). Tablette fixée, à la suite d'un vœu ou en témoignage de reconnaissance après une prière exaucée, à l'endroit où s'est produit l'événement qu'elle rappelle ou en un lieu de pèlerinage. Elle porte une inscription mais souvent, en outre, elle est peinte : portrait de saint ou représentation de

Ex-voto   Chapelle votive

Façade d'une maison romane du midi de la France

« Sauvages » en tenants d'armoirie

l'événement évoqué. Les objets votifs se rapportent plus particulièrement à la grâce sollicitée dans la prière : ce sont, par exemple, des béquilles, un membre en cire ou en pierre, un modèle réduit de bateau, etc.

Façade. Face la plus en vue d'un édifice. Certains édifices ont deux façades (par exemple palais baroques avec une façade côté ville et une autre côté jardins ; façades de transept de nombreuses cathédrales gothiques - moins importantes, cependant, que la façade occidentale, celle opposée au chevet ; ou encore immeubles donnant sur deux rues). Généralement, elle reflète la disposition intérieure de l'édifice : nombre d'étages, nombre de vaisseaux de l'église, devient convexe dans le style baroque où les pièces sont volontiers ovales.

Faïences → Céramique.

Faunes. Esprits des bois ceints et couronnés de feuillages, portant massue, figurant souvent, en qualité de → tenants, sur les blasons (surtout aux XVᵉ et XVIᵉ siècles). Dans le sud de l'Allemagne et en Suisse, on les voit souvent aussi sur des façades, des enseignes d'auberge, ou comme couronnement d'un portail. On dit aussi « sauvages ».

Femmes (côté des) → Côté de l'Evangile.

Fenêtre.

I. Ses principales parties : 1) L'*embrasure,* surfaces délimitées par les deux parois verticales du mur encadrant l'ouverture (fig. 1). 2) → *Pied-droit,* montant d'une fenêtre percée en biais dans le mur (fig. 2). 3) L'*appui,* partie transversale inférieure de la fenêtre (fig. 1, 2). 4) Le *linteau,* traverse horizontale qui ferme la partie supérieure de la baie. Il est souvent décoré (fig. 1). 5) L'*encadrement,* ornementation (moulures ou colonnettes) entourant la fenêtre (fig. 8, 10 b). 6) *Meneaux,* fins montants (plus rarement traverses) de pierre, subdivisant en plusieurs parties la fenêtre gothique (fig. 8, 9). 7) *Remplage* (→ Ornements). « dentelle de pierre » décorant la partie supérieure des fenêtres à meneaux ou l'intérieur d'une rose (fig. 5 a, b, c, 7, 8).

II. Ses formes : 1) *Fenêtre en plein cintre ;* elle se ferme en haut par un demi-cercle. Aux premiers siècles chrétiens, elle est percée verticalement dans le mur ; à l'époque romane, ses pieds-droits et son appui sont en biais (fig. 2). 2) *Fenêtres géminées* (jumelées) groupées deux par deux, une colonne médiane séparant les deux ouvertures. On parle de triplet lorsque sont réunies trois ouvertures séparées par deux colonnes. Souvent surmontées d'un arc de décharge, roman, Renaissance (fig. 3). 3) *Oculus,* fenêtre ronde (fig. 4, architecture romane). A l'époque gothique et à la première Renaissance il est généralement garni d'un remplage (fig. 5 a, b, c) dont les contours inspireront les créateurs de nouvelles formes de fenêtres (trilobées, quatre-lobes, en trou de serrure : fig. 5 d, e, f). L'œil-

de-bœuf rond ou ovale (fig. 5 g) est baroque. 4) *Roue,* découpée par des colonnettes rayonnant autour d'un axe. Romane, elle est l'ancêtre de la rose (fig. 6). 5) La *rose,* circulaire, garnie d'un remplage, souvent de dimensions très importantes, surmonte le portail (à la façade principale comme aux deux bras du transept) de nombreuses cathédrales gothiques (fig. 7). 6)

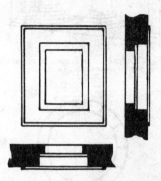

Fig. 1, embrasure

Fig. 2, pied-droit

Fig. 3, fenêtre géminée, avec arc de décharge

Fig. 5 g), œil-de-bœuf, baroque

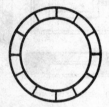

Fig. 4, oculus roman

Fig 6, roue, art roman

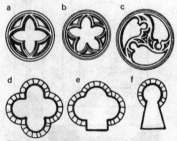

Fig. 5, oculi à remplage : a) quatre-feuilles ; b) cinq-feuilles, gothique ; c) Trèfle, gothique flamboyant — Oculi sans remplage : d) fenêtre quadrilobée ; e) trilobée ; f) en « trou de serrure », gothique

Fig. 7, rose, gothique tardif

Les *lancettes,* longues, étroites, se trouvent, généralement groupées, dans les églises gothiques anglaises (fig. 9). 7) *Fenêtres à remplage* → I, 7 (fig. 8). 8) *Fenêtres à fronteau,* couronnées d'un petit fronton triangulaire (fig. 10 a), brisé (fig. 10 c) ou interrompu (fig. 10 d). Renaissance, baroque. 9) *Fenêtre à segment curviligne* (le fronton curviligne pouvant être, lui aussi, brisé ou interrompu), (fig. 10 b et 10 c). Renaissance, baroque.

Fig. 8, fenêtre à remplage (six lobes) et meneaux, gothique

Fenêtre à l'espagnole. Grille évasée en forme de corbeille, souvent d'un beau travail de ferronnerie, en usage depuis la Renaissance, pour protéger les fenêtres du rez-de-chaussée.

Ferronnerie. Travail d'art artistique du fer pour la fabrication d'objets. La ferronnerie du Moyen Age et de la Renaissance nous a laissé des ferrures de portes et de coffres, des chandeliers, des plaques de cheminée, des lanternes, des

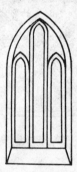

Fig. 9, fenêtre à lancettes, gothique

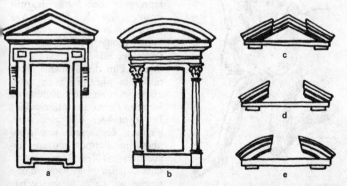

Fig. 10, fenêtres à fronteau : a) petit fronton triangulaire ; b) curviligne ; c) brisé ; d) triangulaire interrompu ; e) curviligne interrompu

125

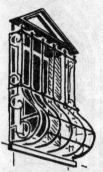

Fenêtre à l'espagnole

Filigrane d'or, russe. Epoque des grandes migrations

Gihon - un des quatre fleuves du Paradis - soutenant une cuve baptismale, art roman, vers 1240

grilles. Les armuriers utilisent également la gravure et la damasquinure. Parmi les principaux ouvrages de ferronnerie : les grilles de chœur baroques des XVIIe et XVIIIe siècles.

Feston → Ornements.

Feuillage → Ornements.

Filigrane (latin *filum* = « fil », *granum* = « grain »). Technique d'orfèvrerie connue à Troie depuis 2000 avant J.-C. L'orfèvre entrelace des fils d'or ou d'argent - lisses, granuleux ou torsadés - et les soude, en créant des motifs décoratifs, sur un fond de métal recouvert de granules d'or ou d'argent. Actuellement, on aime les objets en filigrane sans fond : cette délicate dentelle de métal est alors simplement soudée aux points de jonction.

Flambeau → Ornements.

Fleur de lys → Ornements.

Fleuron → Ornements.

Fleuves du Paradis : l'Euphraste, le Tigre, Gihon et Pichôn (Genèse 2, 11 et suiv.). L'art des premiers siècles chrétiens les représente sous forme de ruisseaux, celui du Moyen Age d'hommes chargés de vases d'où l'eau s'écoule.

Fontaine. Elle est, depuis l'Antiquité, l'un des éléments décoratifs les plus prisés en urbanisme, et revêt une multitude de formes. Parmi les principales : Les *nymphées* (du grec *nymphaion*), consacrées aux nymphes, installations souvent imposantes où les Romains faisaient jaillir les eaux d'une source ou celles amenées par un aqueduc. La *fontaine à vas-*

ques s'élève dans l'atrium de la → basilique chrétienne et dans le cloître du monastère. La _fontaine à pile_ déverse dans un bassin rond ou carré l'eau qui s'écoule des flancs de la pile - souvent rehaussée de figures et d'un couronnement. Et c'est elle qui, dans maintes villes du Moyen Age, fera l'orgueil de la place du marché. La Renaissance reste fidèle à la fontaine à pilier en Allemagne, mais dans les pays latins on lui préfère la fontaine à vasques, de facture classique. Au baroque, les fontaines vont s'orner de figures mythologiques, divinités des mers et des sources : Poseidon, Tritons, Naïades, Chevaux de mer. Et, dans les parcs, la fontaine éclatera en _jeux d'eaux_, avec cascades et sources jaillissantes.

Fontaine à vasque, romane

Fontaine baroque (XVIIIe s.). Fontaine classique, illustr. → p. 71

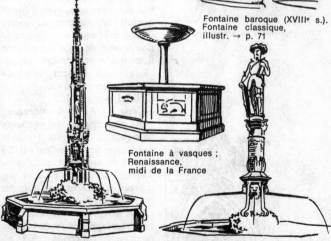

Fontaine à pile, gothique

Fontaine à vasques ; Renaissance, midi de la France

Fontaine à pile ; Renaissance, Allemagne

Fonts
baptismaux,
romans, 1129

Cuve baptismale en bronze, romane,
1230

Gâble

Fonte du bronze → Sculpture I.

Fonts baptismaux. Cuve baptismale, en pierre, bronze ou bois, qui, depuis le XIᵉ siècle, remplace le → baptistère des premiers siècles. Elle est généralement ornée de sujets bibliques se rapportant au baptême ou à l'eau (Baptême du Christ, → Fleuves du Paradis, etc.).

Fresque → Peinture (techniques de).

Frette → Ornements.

Frise → Ornements.

Frontispice : 1) Façade principale d'un édifice important. 2) Gravure ornant la première page d'un livre, originairement en France et en Angleterre, aux XVIIᵉ et XVIIIᵉ siècles.

Fuite (point de) → Perspective (Ill.).

Gâble. Pignon décoratif surmontant des → fenêtres et des → portails gothiques, souvent flanqué de → pinacles, ajouré (quelquefois la broderie de pierre est en orbevoie, sans percer le mur), orné de crochets et d'un fleuron (→ ornements). Le gâble accentue l'aspect élancé de l'architecture gothique.

Gabriel → Ange I.

Galerie. 1) Pièce de réception, toute en longueur, des châteaux baroques et classiques (Galerie des Glaces de Versailles). 2) La qualité de son éclairage lui vaut d'être choisie pour exposer des œuvres d'art. Aujourd'hui, on parle de galerie pour une collection d'œuvres d'art relativement importante, et plutôt de cabinet pour une collection plus réduite. 3) Dans une salle de théâtre : les étages supérieurs. 4) Galerie incorporée à l'édifice → Tribune. 5) Allée de circulation dans une église (→ arcade) ou un bâtiment fortifié (→ église fortifiée).

Galerie d'arcades, passage généralement voûté, bordé d'→ arcades à claire-voie, au rez-de-chaussée (parfois en avancée de ce rez-de-chaussée), d'une maison d'habitation ou d'un hôtel de ville. La Renaissance (notamment allemande) les affectionne. La *pergola* (ital.) est une petite galerie dont la toiture en bois, soutenue par des piliers ou des colonnes, se couvre de plantes grimpantes.

Galerie des Rois. Rangée de (28) statues - représentant probablement la lignée royale des ancêtres du Christ - ornant la façade occidentale de nombreuses cathédrales françaises.

Galilée. Porche spacieux précédant l'entrée de certaines églises françaises ou anglaises (se confond souvent avec le narthex → basilique 3). On y bénissait autrefois les défunts avant l'entrée du cercueil dans l'église.

Galerie d'un déambulatoire ; gothique

Galerie d'arcades de style gothique et Renaissance

Galilée, narthex ; Tournus, XIᵉ siècle

Galerie des Rois de la cathédrale de Reims (v. égalem. illustr. p. 28)

129

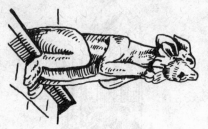

Gargouille gothique

Colonnes géminées

Prétorien armé, suivi de son Génie porteur d'une corne d'abondance

Gargouille. Gouttière saillante, en avancée du toit, destinée à protéger les murs de l'humidité. Dans le temple antique elle arbore une tête de lion, dans l'architecture gothique elle devient une figure fantastique (animal, être humain ou créature de légende) dont la signification symbolique est généralement ignorée aujourd'hui.

Géminés. On appelle géminés ou jumelés deux éléments d'architecture semblables unis par un membre commun, par exemple deux colonnes à base ou entablement commun, deux fenêtres en plein cintre de part et d'autre d'un trumeau (ill. → Fenêtre II, 2).

Génie. Dans la Rome antique, esprit attaché à la protection d'un individu ou d'un lieu (*Genius loci*). → Allégorie de la création, il est représenté sous la forme d'un serpent, d'un adolescent ou d'un enfant nu et ailé, dans le style des Cupidons (→ sculpture ornementale). On appelait Junon la divinité tutélaire d'une femme.

Gloire → Auréole.

Gloire (Trône de). Représentation de la Trinité (à partir du XIIᵉ siècle) : Dieu le Père tient la Croix entre ses mains (variante : le corps du Christ repose dans son giron) et la colombe du Saint Esprit plane au-dessus d'eux.

Gloriette → Jardin (art du).

Gobelins → Tapisserie.

Godrons → Ornements.

Gorge. Moulure à profil concave, par opposition au profil convexe de la baguette ou du boudin. Sur les → corniches, plafonds, colonnes (→ attique (base), on l'appelle alors scotie), meubles.

Gothique « spécifique ». Phase tardive du gothique allemand, où il se dégage de l'influence du gothique français (XVe et XVIe siècles). Cet effort d'originalité est cependant perceptible dès le début de l'époque gothique, et se manifeste par exemple dans l'architecture des églises en briques (→ Brique).

Gouache → Peinture (techniques de).

Gravure. Technique consistant à tracer des dessins en creux sur la pierre ou le métal (→ orfèvrerie), à l'aide d'un burin, poinçon, marteau à ciseler, d'une pointe pour tailledouce - ou sur le verre à l'aide d'une meule.

Grecques → Ornements.

Grènetis → Orfèvrerie.

Grès → Céramique.

Griffe → Colonne.

Grisaille. Peinture en camaïeu gris. Souvent employée, avec un art consommé, pour simuler une sculpture ou une décoration en stuc.

Grotesque → Ornements.

Guirlande → Ornements.

Hellénistique (art). Art grec d'Alexandre le Grand à Auguste (323-14 av. J.-C.). Il s'ouvre délibérément aux influences orientales, renonçant à des particularismes nationaux au profit d'une recherche d'universalisme. L'architecture et la sculpture perdent, sous l'abondance croissante d'une décoration na-

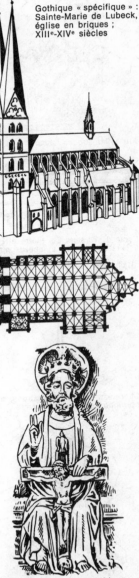

Gothique « spécifique » : Sainte-Marie de Lubeck, église en briques ; XIIIe-XIVe siècles

Trône de gloire, gothique

Art hellénistique, Laocoon ; vers 50 av. J.-C.

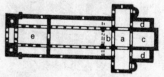

Ecole de Hirsau : Sts Pierre et Paul, à Hirsau, 1082-91 ; a) chorus major, b) chorus minor, c) presbyterium, d) chœurs secondaires, e) atrium

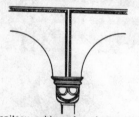

Chapiteau cubique à godrons, avec corniche surmontant l'arcade

Frise en damiers, au-dessus du chapiteau (école de Hirsau)

turaliste, leur sérénité classique. Pour la première fois, édifices et statues s'ordonneront en groupes à l'effet soigneusement étudié. L'art hellénistique exercera une influence déterminante sur l'art romain (décoration, sculpture monumentale, décor urbain aux places et amphithéâtres immenses, statuaire naturaliste).

Héraldique → Armoiries.

Hermès → Sculpture ornementale.

Hirsau (école de). Forme particulière de l'architecture religieuse romane née, à la fin du XIᵉ siècle, des réformes édictées par l'abbaye de Cluny qui, s'élevant contre un art roman de plus en plus recherché, prône plus de dépouillement, d'austérité. C'est l'abbaye-fille de Hirsau qui la diffusera en Allemagne. Principales caractéristiques : suppression des tours de façade, des voûtes et de la → crypte ; séparation rigoureuse des parties réservées aux laïcs et au clergé. A l'ouest de la croisée du transept, le « chorus minor », puis le « chorus major » (celui des chantres) précèdent le chevet, l'→ abside et les chœurs secondaires. A l'entrée de l'église, un porche et un atrium découvert renouent avec la tradition des églises des premiers siècles. Préférence marquée pour les chapiteaux cubiques (→ chapiteau). Hirsau (1082-91, détruite). Paulinzella (1112-32, en ruines, fig.→ p. 20), Alpirsbach (à partir de 1095).

Homme de douleur → Pitié (Christ de).

Hypocauste : poêle en faïence de la Forêt-Noire

Hypocauste (grec, « chauffage par en bas »). Chauffage par air chaud, sous les planchers des pièces d'habitation et salles de bain de l'Antiquité, ainsi que dans les châteaux et cloîtres médiévaux. Encore parfois en usage en Forêt-Noire (poêle en faïence, auquel est accolé un banc surélevé - la chaleur vient de la pièce voisine).

Hypotrachelion → Colonne.

Icône (grec, « image »). Dans l'Eglise grecque orthodoxe, tableau (par opposition à la peinture murale) représentant des saints et des scènes religieuses. Formes et couleurs, fortement idéalisées, sans souci du naturel, sont fixées depuis des siècles par la tradition. Les types d'icônes les plus réputés sont les → Acheiropoïetes et les Madones « Eleusa » (= tendresse) → Byzantin (art).

Idéaliste (style). Phase du gothique allemand tardif, particulièrement dans la statuaire de petites dimensions et le vitrail. Parmi ses œuvres les plus caractéristiques : les « belles Madones » aux souples draperies,

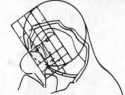

Icône, Madone « Eleusa », Russie, XIVᵉ siècle. En dessous : schéma de la composition du visage. L'unité de mesure est la longueur du nez

Style idéaliste, « Belle Madone », vers 1415

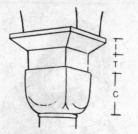

Imposte surmontant une colonne :
I imposte, T tailloir, C chapiteau

Imposte

Incrustations polychromes de marbre, Art roman italien, XIIᵉ siècle (période dite « proto-Renaissance)

Vierges à l'Enfant respirant une douceur familière et l'amour maternel. Ce style est également sensible dans la gravure sur bois, qui fait son apparition vers la même époque (1400-1430).

Image miraculeuse. Figure peinte ou sculptée, représentant le Christ ou la Vierge, vénérée - particulièrement dans les lieux de pèlerinage - pour ses pouvoirs miraculeux.

Imbrications → Ornements.

Imposte. 1) En architecture : tablette saillante entre le support (mur, pilier, colonne) et la charge (arc, voûte). En usage depuis le IVᵉ-Vᵉ siècles. 2) En menuiserie : partie supérieure d'une baie, panneau qui occupe l'espace libre au-dessus de la porte, souvent peint dans les demeures aristocratiques du baroque et du rococo.

Incrustation (latin *crusta* = « croûte »). Insertion de pierres colorées dans la pierre, par exemple en alternant un marbre clair et un marbre foncé (murs, sols). Apogée: Antiquité, art byzantin, Italie au Moyen Age et au baroque.

L'*intarsia* est une incrustation de lamelles de bois dans du bois. Dans la *marquetterie,* un meuble ou un objet en bois est décoré d'incrustations de bois, nacre, ivoire, écaille, métal (notamment au rococo). On appelle *damasquinure* (de la ville de Damas, capitale des armuriers arabes) l'incrustation métal sur métal, particulièrement utilisée pour la décoration des armes.

Intarsia → Incrustation.

Intersectées (arcatures) → Ornements.

Interrompu (fronteau) → Fenêtre.

Instruments de la Passion, l'ensemble des instruments utilisés dans la Passion du Christ : clous, verges, couronne d'épines, lance, éponge imbibée de vinaigre fixée au bout d'une perche, etc. Leur liste peut comporter jusqu'à trente objets, dont certains n'ont pas joué un rôle dans la Passion proprement dite, mais dans les événements qui l'ont précédée ou suivie, par exemple : pinces, dés, suaire. Depuis le Moyen Age, ils sont souvent représentés, comme symboles des souffrances du Christ, sur la → Colonne de la Flagellation ou les → Tentures de Carême.

Intrados → 1) Fenêtre. 2) Pied-droit.

Ivoire. Matière fournie par les défenses de l'éléphant et du morse. Les artistes, depuis des millénaires, le sculptent, le polissent, le peignent, l'associent à des métaux précieux. Grandes périodes : l'Antiquité romaine (→ diptyque), l'art → byzantin et ceux qui ont subi son influence (Ravenne, VIe siècle, époque carolingienne), gothique français.

Jacquard → Tapisserie.

Jambe de soutien → Contrapposto.

Jambe libre → Contrapposto.

Jardin (art du). On distingue deux grandes formes du jardin d'agrément :
1) Celui à conception architectonique-géométrique connu de-

Sculpture sur ivoire des premiers siècles chrétiens (crucifixion et mort de Judas)

Jardin Renaissance, avec effets de haies bien taillées (France)

Parc baroque

puis les « jardins suspendus », étagés en terrasses, de Babylone. L'Antiquité grecque et romaine le peuplera déjà de statues. Modeste au Moyen Age, qu'il agrémente cloîtres, châteaux ou demeures particulières, il va s'agrandir vers 1500 jusqu'à devenir le parc Renais-

Gloriette, classicisme, vers 1770

Jardin anglais, XVIIIᵉ siècle

Eglise de style jésuite : midi de la France

sance richement décoré, avec ses fontaines, statues et pavillons (Italie, châteaux français). Il atteint son apogée au baroque (milieu du XVIIᵉ siècle). Son axe principal est le prolongement de l'axe central du château, qui a souvent pour symétrique, à l'autre bout du parc, un second château (plus petit), un pavillon (*gloriette*) ou une serre (*orangerie*). Il est traversé par une allée centrale, encadrée d'allées, jeux d'eaux, canaux, parterres, terrasses avec fontaines et statues. A l'écart de l'allée centrale, un belvédère, une nymphée peuvent constituer des points d'attraction indépendants, et une sorte de jardin dans le jardin. Ce type de jardin est aussi appelé « à la française ».

2) C'est d'Angleterre que vint, au début du XVIIIᵉ siècle, le *jardin anglais* (ou paysager). Il veut reproduire la fantaisie de la nature. Son dessin pittoresque paraît dû au hasard, et il s'anime de constructions et monuments chargés d'une signification précise (d'ordre souvent sentimental) : ruines artificielles (expression de la tristesse), ermitages néo-gothiques (solitude), chaumière (simplicité), ponts et temples chinois (l'exotisme, le dépaysement), etc. Les jardins anglais sont souvent attenants à des parcs baroques.

Jean → 1) Apôtres. 2) Evangélistes. 3) Saints.

Jérusalem (chemin de) → Labyrinthe.

Jésuite (style). 1) Style des églises baroques construites en

136

Amérique latine par les Jésuites. Ornementation souvent surchargée. 2) Style des églises jésuites du XVIIe siècle (notamment), à l'architecture baroque inspirée de l'église du Gesú à Rome (fig. p. 35).

Jouée → Stalles du chœur.

Jubé (latin *lectionarium* = « lutrin »). Clôture séparant le chœur (réservé aux clercs) de la nef centrale (où se tiennent les laïcs). En usage depuis le XIIIe siècle. Un ou plusieurs passages permettent de le traverser. Une tribune, à laquelle on accède par des gradins, accueille les choristes et porte, sur sa balustrade, les lutrins d'où on lit l'Epître et l'Evangile. Les jubés ont pour la plupart été démolis après le Moyen Age, parce qu'ils empêchaient de voir l'autel.

Jugendstil → Art nouveau.

Kymation → Ornements.

Labarum. Etendard fixé à une croix, symbole de la victoire du Christ ressuscité sur la mort.

Labyrinthe (grec) ou Chemin de Jérusalem. Dessin géométrique obtenu par l'alternance de pierres claires et foncées sur le dallage de certaines cathédrales, généralement gothiques. (En méandres comme le légendaire palais du Minotaure en Crète.) Dans la cathédrale Saint-Bertin, à Saint-Omer (fig. 1), le labyrinthe mesure 17,3 m de côté et recouvre 300 m². Celui de la cathédrale de Chartres (fig. 2) couvre toute la largeur de la nef centrale (16,40 m) et son

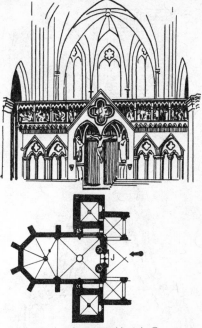

Jubé (J) du chœur occidental. En haut : vue vers l'Ouest ; en bas : plan

Agneau de Dieu avec le labarum. Attribut de St Jean-Baptiste

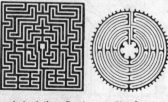

Labyrinthe, fig 1   Fig. 2

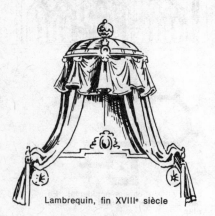

Lambrequin, fin XVIIIe siècle

Lanterneau

tracé, « déroulé », atteint 250 m. Les fidèles le suivaient à genoux. de la périphérie au centre, en signe de pénitence.

Lacis → Voûte.

Lady Chapel (angl. « Chapelle Notre-Dame »). Chapelle mariale de certaines cathédrales anglaises : son plan est le plus souvent rectangulaire, et elle est située dans le prolongement du chœur oriental. (Fig. → Salisbury, p. 27.)

Lambrequin. Bordure supérieure d'une fenêtre, d'un ciel de lit, d'une porte, constituée par une draperie tombante garnie de franges ou de glands (baroque). Le lambrequin fut souvent reproduit en stuc ou en pierre pour servir de motif décoratif.

Lambris. Revêtement mural, généralement en bois (par exemple plinthe). Mais il peut être aussi en marbre ou en stuc.

Lanterne → Coupole.

Lanterne (Tour-) → Croisée du transept.

Lanterneau. Svelte tourelle (le plus souvent en bois), surmontant certaines églises. Les Cisterciens en sont les premiers constructeurs, au XIIIe siècle, et sont bientôt suivis par les ordres prédicateurs (→ églises des ordres mendiants, architecture cistercienne). Dans les cathédrales gothiques, où les tours se groupent à la façade occidentale, le lanterneau remplace souvent la tour-lanterne (→ croisée du transept).

Larmier → Corniche.

Lésène ou **bandes lombardes** → Ornements.

Lice. Le chemin de ronde entre l'enceinte extérieure et intérieure d'un château fort ou et d'autre d'un trumeau (fig. → git parfois jusqu'aux dimensions d'une place : on y dispute alors des tournois.

Licorne → Symboles 6.

Linteau. 1) Traverse horizontale qui ferme la partie supérieure d'une porte. (Fig. → portail) ou d'une → fenêtre. 2) → Cheminée.

Lobe → Ornements.

Loggia. 1) Notamment à la Renaissance italienne, galerie d'arcades. 2) Pièce non close qui se trouve à un étage supérieur mais, contrairement au balcon, n'est pas en saillie sur le mur.

Losange → Ornements.

Louis XIV (style). Il embrasse le règne du Roi-Soleil (1643-1715), et a fait de larges emprunts au baroque italien. Le terme n'est guère employé que pour les arts appliqués - par exemple les meubles Boulle aux riches marquetteries (→ incrustations) - bien que, grâce à l'impulsion et aux commandes de Louis XIV, le baroque ait connu sous son règne un éclat et une diversification inégalés.

Louis XV (style). Sous le règne de Louis XV (1723-74), prédomine le style → rococo ou rocaille (essentiellement décoration et arts appliqués).

Louis XVI (style). Sous le règne de Louis XVI (1774-92), le rococo est progressivement supplanté par le classicisme. En décoration et dans les arts appliqués, le style Louis XVI se

Loggia; archit. rom. ital, XIIe s.

Louis XIV : commode Boulle

Louis XV : table rococo

Louis XVI : décoration d'une fenêtre et pied d'un bureau

Lucarnes ; forme normale, à croupe, en pavillon

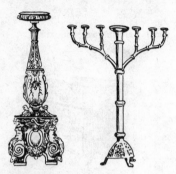

Candélabre Renaiss. (à g.). Chandelier à 7 branches goth., vers 1300 (à dr.)

Tour au rebord d'une « couronne de lumière » ; rom., XIe s. On aperçoit les 2 barres de suspension

Lustre-figurine : une figurine av. armoiries ; Renaiss., fin XVIe siècle

caractérise essentiellement par un retour aux lignes pures et symétriques (lyre, vase, frises à motifs antiques) et par les meubles en bois peint.

Luc → 1) Evangélistes. 2 → Saints.

Lucarne. Petite construction, percée d'une fenêtre, dans les combles.

Lumière éternelle → Luminaire.

Luminaire. 1) *Candélabre* (lat. *candelabrum*) : chandelier, par opposition au lustre qui pend du plafond. Il est utilisé depuis l'Antiquité, sous de nombreuses formes : le chandelier à sept branches (en hébreu *Menora*), objet du culte juif. Il figure également dans les églises chrétiennes, où il symbolise l'accomplissement de l'Ancien Testament) ; à huit branches (en hébreu *Hanoukia,* il est un symbole du judaïsme - et muni d'une neuvième branche qui sert à allumer les huit autres) ; on peut citer aussi des chandeliers représentant une figure humaine, le chandelier pascal, etc. 2) Le *lustre,* suspendu au plafond, porte plusieurs bras de lumière. En forme de couronne (« couronne de lumière ») ou de roue, orné de tours et de portails, il symbolise, à l'époque romane, la Jérusalem céleste. Au gothique, il a des bras rayonnants. Plus tard, il sera en verre (Renaissance, particulièrement à Venise). 3) Le *lustre « Mère de Dieu »* est orné d'une statue de Marie, qu'un bois de cerf entoure d'une auréole en → mandorle. 4) *Lustre-*

figurine : c'est une version profane du précédent. Au lieu de la Vierge, une femme-tronc, souvent à queue de poisson. 5) *Chandelier du Carême* (pour la semaine du Carême), son pied en fer forgé porte des bobèches souvent disposées en triangle. Au Moyen Age, elles seront au nombre de quinze à douze, à savoir une pour le Christ, pour chacun des apôtres - et quelquefois pour les trois Marie. 6) La *lumière éternelle,* lampe à huile qui brûle perpétuellement devant l'autel des églises et dans les synagogues. 7) Les « *Blaker* » du bas-allemand « luire », applique murale fixée sur une plaque réfléchissante. Appréciée du XVIe au XVIIe siècle en Allemagne du Nord. 8) *Lampe des Apôtres :* aux douze emplacements oints lors de la consécration d'une église, douze croix et douze appliques - parfois ornées de portraits - rappellent le souvenir des douze apôtres.

Lunette → Voûte.

Lutrin. Pupitre incliné, monté sur un pied. Placé dans le → chœur, sur la balustrade d'un → ambon ou du → jubé, il sert à la lecture de l'Evangile ou de l'Epître, ou bien aux choristes qui y déposent leurs livres de chant (il est alors souvent double). → Aigle (lutrin à l').

Lys → Ornements.

Mâchicoulis → Fig. p. 55.
Majolique → Céramique.
Mandorle → Auréole.
Maniérisme (ital. *manierismo* = « affectation »). Au sens

« Blaker » ; baroque

Chandelier de carême ; roman, XIe siècle

Lutrin de bronze. Moderne

large, c'est l'imitation - avec ce que cela implique d'artificiel - d'un style. Le maniérisme se situe généralement à la phase finale d'un style, se servant avec virtuosité de ses techniques, de son expression formelle, mais coupé, en quelque sorte, de ses sources mentales et spirituelles d'inspiration. Au sens étroit, on appelle maniérisme un style de peinture prévalant dans les pays latins dans la dernière phase de la Renaissance et le baroque (environ 1530-80). Dans l'art du portrait - où il excelle - ses modèles de prédilection ont une allure aristocratique et quelque peu décadente. Les scènes religieuses sont traitées avec une ardeur pathétique dénotant l'influence de la Contre-Réforme. Les corps, qui ondulent en lignes nerveuses et tourmentées (« linea serpentinata »), s'allongent démesurément. Les mains sont exagérément fines, les têtes extraordinairement petites. Ombres et lumières s'opposent en contrastes violents, tandis que les espaces ne sont pas nettement définis. Toutes les caractéristiques du maniérisme sont réunies - d'impressionnante façon - dans les œuvres du Greco, mais on les trouve aussi chez le Parmesan, Bronzino, le Tintoret.

Aujourd'hui, on considère souvent le maniérisme comme un style spécifique.

Mansarde → Toits (formes de).

Marbre (grec *marmoros* = « étincelant »). Calcaire cristallin, largement utilisé (depuis l'Antiquité dans le Bassin méditerranéen, seulement depuis la Renaissance dans les pays plus nordiques) en architecture et en sculpture. Le baroque l'a souvent imité, en « marbrant »

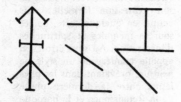

Marques de tâcheron ; gothique

de veines colorées le bois ou la pierre. Nombre de montagnes européennes recèlent du marbre, et il en existe des centaines de teintes et nuances. Si, depuis l'époque classique, le marbre blanc est nettement préféré, la sculpture moderne ne l'emploie plus que rarement. Parmi les variétés les plus célèbres : les marbres grecs de *Paros* (bleu-blanc), de *Pentélique* (tirant sur le bleu), et le marbre italien de *Carrare,* en Toscane, que Michel-Ange travaillait par prédilection.

Marc → 1) Evangélistes. 2) Saints.

Marque de tâcheron ou signe lapidaire. Du XIIe au XVIIIe siècle, les ouvriers (ou le groupe d'ouvriers d'un → atelier) apposaient sur les pierres qu'ils taillaient un signe distinctif, « signant » par là leur travail personnel.

Marquetterie → Incrustation.

Mascaron → Ornements.

Massif occidental. Construction indépendante, élevée, au haut Moyen Age, en avant de la partie occidentale de certaines → basiliques. Son puissant clocher-porche, généralement flanqué de deux tours d'escalier, abritait, au rez-de-chaussée, l'église paroissiale et les fonts baptismaux. C'est de sa → tribune, où le regard portait jusque sur l'autel de la basilique, que les empereurs et leur suite suivaient l'office divin. Le massif occidental incarne probablement l'« Imperium mundi » (= Royaume terrestre) des empereurs romains germaniques, suc-

Massif occidental. Vue intérieure de l'étage sup. Au centre, la loge impériale et le trône.

Massif occidental avec clocher-porche. Corvey (Allemagne).

Massif occidental   Basilique

Massif occidental : la flèche en pointillé suit le regard de l'Empereur ; de son trône il a vue sur l'autel. La petite flèche indique la direction du regard lorsqu'il se tourne vers l'intérieur du massif occidental.

cesseurs de Charlemagne, et son union avec l'Eglise : c'est pourquoi il se situe à l'Ouest, alors que l'autel est symboliquement tourné vers l'Est (→ orientation).

Matthieu → 1) Apôtres. 2) Evangélistes. 3) Saints.

Mauresque → Ornements.

Mausolée → Tombeau.

Méandres → Ornements.

Médaille (latin *metallum*). Disque de métal, plomb, bronze, argent, or, orné sur une seule ou ses deux faces de figures, scènes, motifs en relief. Ce n'est pas une monnaie, elle est éditée à des fins commémoratives ou à titre décoratif. Fondues dès l'Antiquité, peu appréciées au Moyen Age, à partir de la Renaissance les médailles sont le plus souvent frappées. Aujourd'hui, on utilise souvent la galvanoplastie. On appelle médailleur l'artiste qui grave des coins de médailles, et plaquette une médaille quadrangulaire.

Médaillon (grande médaille). Image peinte ou en relief dans un cadre rond ou ovale : portrait lorsque le médaillon est

Médaillon sur bois. Baroque, 1630

Mezzanine (M) ; Renaissance. 1620

La 5e œuvre de Miséricorde : rendre visite aux malades

miniature, c'est un élément décoratif lorsqu'il est de grande dimension.

Meneaux → Fenêtre 1, 6.

Métope. 1) → Sculpture ornementale. 2) → Colonne.

Mezzanine. Etage bas, intermédiaire entre le rez-de-chaussée et le premier étage, ou ménagé sous le toit. Renaissance, baroque, classique.

Michel → Ange I.

Miséricorde → Stalles du chœur.

Miséricorde (Sept Œuvres de). Thème de l'iconographie chrétienne depuis le XIIe siècle. Elles étaient, à l'origine, au nombre de six seulement : nourrir ceux qui ont faim, désaltérer ceux qui ont soif, vêtir ceux qui sont nus, héberger les sans-abri, rendre visite aux malades, racheter les prisonniers. Depuis le XIIIe siècle, une septième a été ajoutée : ensevelir les morts (probablement à la suite des grandes épidémies). A l'époque moderne, ces sept œuvres « matérielles » ont été complétées par sept œuvres « spirituelles », à savoir : morigéner les pêcheurs, instruire les ignorants, guider ceux qui doutent, consoler les affligés, supporter patiemment les importuns, pardonner de bon cœur les offenses, prier pour les vivants et les morts.

Modillon. Petite console en double volute placée sous la corniche d'un mur.

Module (latin *modulus* = « petite mesure »). 1) Diamètre du fût des colonnes antiques (à leur pied), servant d'unité de mesure à l'ordonnancement de la colonnade (→ entre-colonne-

ment). En le divisant par 30, on obtient les minutes (Pares).
2) Diamètre d'une monnaie ou d'une médaille.

Monoptère → Ill. p. 9.

Mouchette → Ornements.

Moulure → Corniche.

Moulure à profil convexe. Ornement allongé appelé, selon sa section et son diamètre, quart de rond, baguette, boudin ou tore. Elle n'a pas de fonction technique. Ornement fréquent de l'→ archivolte du → portail roman à pieds-droits.

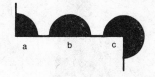

Moulure à profil convexe : a) quart de rond ; b) boudin à profil semi-circulaire ; c) en trois quarts de rond

Münster (latin *monasterium* = « monastère »). Terme employé en Allemagne du Sud pour désigner la cathédrale (→ Dôme). Primitivement, il s'appliquait à l'ensemble du monastère, puis seulement à son église.

Muses (grec). Déesses tutélaires des sciences et des arts. Athènes n'en vénérait à l'origine qu'une seule : Mnémosyne, déesse de la Mémoire. Elles furent, par la suite, au nombre de neuf, que l'on représente, depuis la période hellénistique, avec leurs attributs :
Erato (élégie), la cithare ; Euterpe (musique, art lyrique), la flûte ; Calliope (éloquence, poésie épique), livre et rouleau ; Clio (histoire, philosophie), un rouleau de parchemin ; Melpomène (tragédie), un masque de tragédie ; Polymnie (lyrisme), n'a pas d'attribut ; Terpsichore (la danse), une lyre ; Thalie (la comédie), un masque comique ; Uranie (l'astronomie), un globe.

Mutule → Colonne.

Muses : Clio, Thalie, Erato, Euterpe, Polymnie, Callioppe, Terpsichore, Uranie, Melpomène

Néo-gothique : Londres, Albert Memorial, 1863-72

Néo-Renaissance : Bielefeld, Hôtel de Ville, 1904

Néo-Renaissance : Vienne, Burgtheater, 1874-88

Naos → Ill. p. 9.

Narthex → 1) Basilique. 2) Galilée.

Nef → 1) Basilique. 2) Eglise-halle.

Néo-baroque → Second Empire.

Néo-gothique. Style d'architecture qui imite le gothique. Il est né, au XIXᵉ siècle, du romantisme féru d'histoire, grand admirateur du Moyen Age, et incapable de trouver son style propre. D'innombrables églises et édifices néo-gothiques verront le jour jusqu'au tournant du siècle.

Néo-Renaissance. Ce style reprend, dans le dernier tiers du XIXᵉ siècle, toujours faute d'avoir su trouver un style original, les formes architecturales et celles du mobilier de la Renaissance.

Nervures → Voûte.

Nimbe → Auréole.

Nimbe crucifère → Auréole.

Nombre d'or → Proportions (science des).

Nymphée → Fontaine.

Obélisque. Haut pilier de pierre, quadrangulaire à sa base, se rétrécissant vers le haut pour se terminer par une pointe en forme de pyramide. Symbole religieux égyptien, il est souvent employé (en réduction) à la Renaissance, pour décorer le couronnement d'un toit ou d'un pignon accompagné de → volutes.

Octogone (grec = « qui a huit côtés »). Construction dont le plan a la forme d'un polygone régulier à huit pans. (Fig. → Aix-la-Chapelle, chapelle Palatine, p. 14.)

Oculus → Fenêtre.

Œil → Ornement.

Œil-de-bœuf → Fenêtre.

Opisthodome (fig. p. 9).

Optique (complément). Effet visuel particulièrement prisé au rococo : l'ensemble formé par une paire d'œuvres d'art (par exemple des autels latéraux) donne une impresion de symétrie, alors qu'en fait elles ne sont pas symétriques. L'axe passe donc à l'extérieur de chacun des deux éléments, et correspond à l'axe général du local.

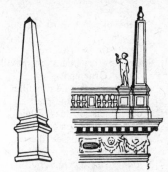

A g. obélisque ; à dr. obélisque au couronnement d'un toit

Orangerie → Jardin (art du).

Orant. Dans l'art des premiers siècles chrétiens, figure debout, vêtue d'une longue robe, bras étendus, personnifiant la prière.

Oratoire (latin « salle de prières »). 1) Le → chœur des prêtres dans les églises conventuelles et collégiales. 2) Dénomination des → églises des ordres mendiants. 3) Chapelle privée, ou chapelle d'un couvent. 4) Loge grillagée ou vitrée réservée, dans les églises baroques et rococo, aux dignitaires civils ou ecclésiastiques.

Complément optique : autels latér. d'une église rococo, vers 1750.

Oratoire rococo, vers 1750

Orant, Rome, Ier siècle

147

Orbevoie. Arcature aveugle → arcade.

Orchestre → Théâtre.

Oreille (ornement en pavillon d') → Ornements.

Orfèvrerie. Art de travailler l'or, l'argent, le platine pour en faire des objets ou des bijoux, ces métaux précieux pouvant être ou non rehaussés d'émaux et de pierres précieuses. *Les techniques de l'orfèvrerie.* 1) La fonte (rare) même procédé que pour le bronze (→ sculpture). 2) Le repoussage ou martelage : une mince feuille de métal élastique et résistant est travaillée, à froid, sur le revers, à l'aide du marteau à emboutir. 3) La lime, le marteau à ciseler, le burin, le poinçon, le coin sont utilisés pour la décoration des surfaces, par → *gravure* et *ciselure*. On appelle *grènetis* le procédé qui consiste à fixer par soudure de minuscules grains d'or. → Filigrane.

Orgue (buffet d'orgue). C'est la partie « en façade » de l'orgue, le meuble qui renferme les tuyaux. Au gothique, il est souvent encadré de volets peints - à l'instar du retable - et surmonté d'un couronnement (→ autel b). Au baroque, il atteint des dimensions impressionnantes, s'orne de ferronneries, de figures, tandis que son bois devient « marbré » (→ marbre). La pureté de ses lignes disparaît sous l'ornementation surchargée, les → putti, etc. du rococo. Aujourd'hui s'impose peu à peu « l'orgue ouvert » dont l'esthétique est uniquement fonction de la disposition harmonieuse des tuyaux.

Oriel → Encorbellement.

Orientation. Les églises chrétiennes sont orientées d'ouest en est, de sorte que le → chœur et l'→ autel se trouvent en direction de l'Est (c'est-à-dire de la Terre Sainte - et aussi du soleil levant). Ce n'est que depuis le haut Moyen Age que l'orientation est devenue une règle générale (à quelques exceptions près).

Les lieux de culte non chrétiens sont, eux aussi, fréquemment orientés.

Buffet d'orgue ; en haut, vue d'ensemble ; en bas, plan. P orgue principal, C. clavier, Po positif.

Ornements (latin *ornare* = « décorer »). L'ornement est un motif décoratif, l'ensemble de ces motifs constituant la décoration ou l'ornementation. L'ornement peut avoir un rôle uniquement décoratif (par exemple rocaille, mascaron) ou s'intégrer à l'architecture (lésènes ou bandes lombardes, remplage). Les frontières étant parfois floues, une frise décorative peut servir en même temps à rythmer l'édifice. Principaux motifs : 1) géométriques, tracés à la règle et au compas, par ex. méandres, chevrons ; 2) végétaux, par ex. chapiteaux à feuillage (→ chapiteau) → acanthe ; 3) animaliers, par ex. bucranes ; 4) à forme humaine, par ex. chapiteau à figures ou historié (→ chapiteau).

Oves → Ornements.

ORNEMENTS

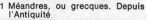

1 Méandres, ou grecques. Depuis l'Antiquité

4 Frise de palmettes. Depuis l'Antiquité

2 Méandres, postes, bandes de vagues. Grèce

5 Bucranes. Rome

3 Méandres, postes, bandes de vagues. Rome

6 Collier de perles, astragale. Grec ionique

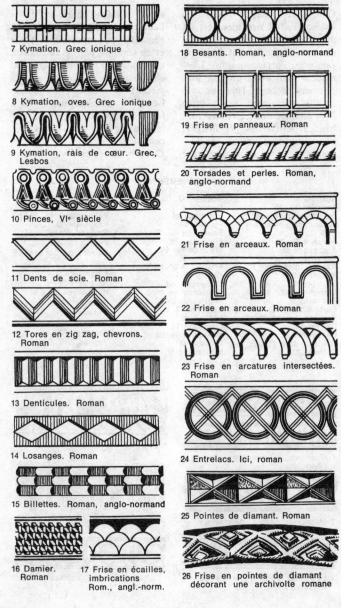

7 Kymation. Grec ionique

8 Kymation, oves. Grec ionique

9 Kymation, rais de cœur. Grec, Lesbos

10 Pinces, VIᵉ siècle

11 Dents de scie. Roman

12 Tores en zig zag, chevrons. Roman

13 Denticules. Roman

14 Losanges. Roman

15 Billettes. Roman, anglo-normand

16 Damier. Roman

17 Frise en écailles, imbrications Rom., angl.-norm.

18 Besants. Roman, anglo-normand

19 Frise en panneaux. Roman

20 Torsades et perles. Roman, anglo-normand

21 Frise en arceaux. Roman

22 Frise en arceaux. Roman

23 Frise en arcatures intersectées. Roman

24 Entrelacs. Ici, roman

25 Pointes de diamant. Roman

26 Frise en pointes de diamant décorant une archivolte romane

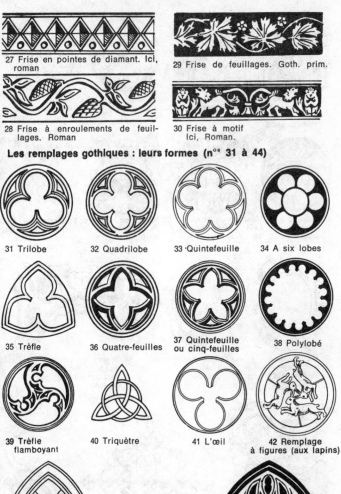

27 Frise en pointes de diamant. Ici, roman

28 Frise à enroulements de feuillages. Roman

29 Frise de feuillages. Goth. prim.

30 Frise à motif Ici, Roman.

Les remplages gothiques : leurs formes (n⁰ˢ 31 à 44)

31 Trilobe

32 Quadrilobe

33 Quintefeuille

34 A six lobes

35 Trèfle

36 Quatre-feuilles

37 Quintefeuille ou cinq-feuilles

38 Polylobé

39 Trèfle flamboyant

40 Triquètre

41 L'œil

42 Remplage à figures (aux lapins)

43 Fenêtre à remplage (à g.). 44 Goth. flamb., XVᵉ-XVIᵉ s., surtout France et Angleterre (à dr.)

151

45 Rosace en éventail. Décoration
d'une maison à colombages (mais
aussi de constructions en pierre).
Renaissance

46 Rosace. Depuis
l'Antiquité

47 Rosace
en tourbillon.
Depuis l'Antiquité

48 Masque à
feuillage.
Gothique

49 Mascaron à enroul.
XVIIᵉ s. Fin Renaiss.
Baroque

50 Mascaron. XVIIᵉ s.
Renaissance
baroque

51 Grotesque. Depu
l'Antiquité. Ici,
Renaissance.
Vers 1500

52 Cartouche à
enroulements.
Renaissance

53 Cartouche. Fin
du baroque
(rococo)

54 Ornem. en pavillon
d'oreille Renaissance-
baroque ; entre 1580
en 1680

55 Arabesque (feuillages
et ramures entrel.).
Dep. l'Hellénisme

56 Mauresque (feuilles,
fleurs). Depuis
l'Hellénisme

57 Rocaille.
Rococo

58 Acrotère, palmette. Vue de face et de profil. Antiquité

59 Feuille d'acanthe. Vue de face et de profil. Antiquité

60 Acrotère d'un pignon. Palmette. Antiquité

61 Pomme de pin (symb. fécondité). Dep. l'Antiquité

62 Crochet, crosse. Gothique primitif

63 Crochet, crosse. Gothique tardif

64 Guirlande de fruits, festons. Dep. l'Antiquité

65 Fleuron. Goth.

66 Fleur de lys (« Le lys des Bourbons »). Sur les armoiries des rois de France dep. 1179

67 Branchage. Goth.

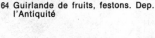
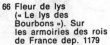

68 Garniture de volutes. Baroque

69 Ferrures.
Renaissance

70 Lésène, bandes lombardes.
Roman

71 Encoches. Depuis
l'âge de pierre

72 Flambeau, entrelacs.
Dep. l'Antiquité.
Ici, Renaiss.

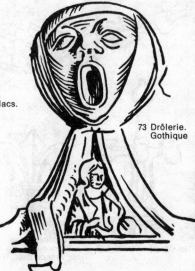

73 Drôlerie.
Gothique

Palais → Ill. p. 55.

Palladio. Palladianisme. Style d'architecture particulier, fin Renaissance et baroque, dû à l'architecte Andrea Palladio (1508-1580). Se réclamant de l'Antiquité romaine, il réduit la décoration de la façade et cherche des proportions harmonieuses et strictes. Sa particularité : l'emploi du grand ordre (ou ordre → colossal). Le Palladianisme domine l'architecture anglaise à partir de 1600, exerce une nette influence sur celle des autres pays d'Europe et notamment la France à partir de 1650.

Palmette → Ornements.

Pantocrator (grec = « tout-puissant »). Christ en Maître du Monde, la dextre levée, tenant dans sa main gauche le Livre de la Vie. Depuis le IVᵉ siècle, c'est l'un des grands thèmes de l'iconographie chrétienne. Il figure souvent dans l'→ abside. Le Christ Pantocrator est aussi représenté en Christ de Majesté, entouré des Evangélistes ou de leurs symboles.

Paon → Symboles 11.

Paradis (grec *paradeisos* = « parc »). L'atrium de la basilique primitive : avant-cour entourée d'une colonnade. Au Moyen Age, ce terme désigne aussi le porche de l'église, souvent richement orné de statues.

Parc → Jardin (art du).

Parclose. Cloison aux accotoirs généralement sculptés de figures, séparant deux stalles du chœur.

Parloir → Cloître.

Parpaing → Pierre à bâtir.

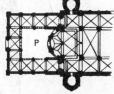

Paradis (P) à la manière de l'atrium des premiers siècles chrétiens ; XIIᵉ siècle

Parclose d'une stalle de chœur ; gothique tardif

Portail du Paradis, XIIe-XIIIe siècles

Pavillon baroque, fin XVIIe siècle

Passion (cycle de la) → Calvaire.

Patine. Dépôt qui se forme avec le temps, par l'effet de l'oxydation, sur le cuivre et le bronze des objets anciens. Sa couleur brune, verte ou noire passe pour une marque d'antiquité. Mais on sait aujourd'hui la fabriquer.

Pavillon. 1) *Pavillon de jardin* = petite construction isolée, partiellement ou totalement ouverte (→ Jardin (art du).

2) *Pavillon d'angle* → avant-corps à l'angle d'un château baroque.

Peinture (techniques de). On les classe en fonction du support : peinture murale → sgraffito, mosaïque → vitrail, sur chevalet, sur relief, illustration (notamment enluminure de manuscrits au Moyen Age) de livres ; des procédés utilisés pour la dilution, l'application et la liaison des pigments colorés et on distingue ainsi :

Aquarelle (latin *aqua* = « eau »). Couleurs solubles à l'eau (sans blanc) qui laissent transparaître le fond. Liant gomme arabique. Utilisée notamment pour la fresque.

Gouache (ital. *guazzo* = « eau »). Couleurs à l'eau, opaques (avec blanc), additionnées de gomme arabique.

Détrempe (latin *temperare*, qui désigne au Moyen Age le mélange des couleurs et du liant). Solution : eau, huile ou laque. Liant : jaune d'œuf, miel, colle, lait de figues, etc. Utilisée très largement jusqu'au XVᵉ siècle (notamment pour la peinture sur bois), puis détrônée par la peinture à l'huile.

Fresque (ital. = « frais ». Couleurs à l'eau provenant de terres naturelles, appliquées sur un enduit humide à base de chaux qui, en séchant et s'oxydant à l'air, fixe les couleurs au fond. Employée depuis 1300 environ, et surtout au baroque, pour peindre les plafonds.

Al secco (ital. = « sec ». Couleurs à l'eau sur fond de mur sec.

Peinture à l'huile. Couleurs diluées dans des huiles volatiles (térébenthine, essence, etc.).

Liant : huile de lin, de pavot, de noix. Peut être opaque ou laisser transparaître le fond. Sèche par évaporation du produit de dilution et oxydation de l'huile. Utilisée depuis le XVᵉ siècle, d'abord uniquement sur le bois, puis sur la toile, le carton, le cuivre, pour la peinture murale sur enduit sec - et surtout pour la peinture sur chevalet.

Technique mixte : combine la peinture à l'huile et la détrempe.

Laque (de l'indien = « cent mille » - pour évoquer la multitude des cochenilles qui sont l'agent de la sécrétion de la laque - sorte de gomme - par l'arbre appelé laquier). Solution de liants résineux (colophane, résine synthétique...) et d'huile (pour la laque à l'huile) dans des huiles volatiles (térébenthine) ou des produits de synthèse. Sèche suivant le même principe que la peinture à l'huile. On s'en sert en Chine depuis un millénaire avant J.-C., pour créer des œuvres imitées en Europe depuis le XVIIᵉ siècle. Nombreuses techniques.

Pélican → Symboles 10.

Pendentif → Coupole.

Pergola → Galerie d'arcades.

Périptère → fig. p. 9.

Perles (collier de) → Ornements.

Perpendiculaire (style). Dernière phase du style gothique anglais (1350 au XVIᵉ siècle). Il doit son nom aux lignes, à prédominance verticale, des meneaux (→ Fenêtre 1, 6) qui treillissent les larges et hautes fenêtres ainsi que les murs.

Style perpendiculaire. Fenêtre à lancettes

Perron baroque

L'une de ses caractéristiques les plus remarquables : la → voûte en éventail.

Perron. Escalier extérieur, non couvert, donnant accès à l'entrée principale d'une maison. Particulièrement imposant à la Renaissance et au baroque. Le perron souligne souvent la symétrie de l'édifice.

Perspective (lat. *perspicere* = « voir à travers »). La représentation de l'espace tri-dimensionnel (longueur, largeur, profondeur) sur la surface bi-dimensionnelle (longueur, largeur) à peindre. L'illusion de la profondeur est donnée par la perspective : les objets de mêmes dimensions s'amenuisent, au fur et à mesure de leur éloignement, tout comme les voit l'être humain (rapetissement perspectif). Il fallut attendre le début de la Renaissance pour découvrir les lois mathématiques de la perspective. Le baroque s'en sert en virtuose pour rythmer ses édifices et, en particulier, pour la peinture des plafonds qui, par illusion d'optique, paraissent s'étendre à l'infini. (→ Architecture simulée ou feinte.) Depuis l'impressionnisme (seconde moitié du XIXe siècle), la couleur a pris une importance croissante, aux dépens du rôle de la perspective.

La *perspective inversée* a été très employée par les peintres du christianisme primitif et médiéval : les objets rapetissent non pas en fonction de l'œil du spectateur, mais de celui de la figure centrale du tableau. L'explication en est moins d'ordre mathématique que spirituel : pour le christianisme primitif et médiéval, le personnage central est un objet de vénération (c'est d'ailleurs la raison pour laquelle il est représenté), incarnation de l'ordre divin qui détermine l'ordre terrestre. C'est donc « sa » perspective qui importe. C'est pourquoi les figures du premier plan sont parfois de moindre importance que celles du milieu ou de l'arrière-plan. Ce n'est qu'à partir de la Renaissance que l'artiste fera du spectateur la mesure de toutes choses.

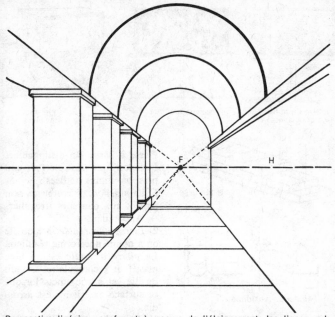

Perspective linéaire : au fur et à mesure de l'éloignement, les lignes qui, dans la nature, sont parallèles, convergent pour se rejoindre au point de fuite (F) situé sur l'horizon (H)

Perspective inversée : noter les dimensions du tabouret et celles du plateau de la table (Matthieu l'Evangéliste, art roman, vers 1230)

Perspective inversée ; Saint Augustin et deux orants ; 1490

159

Pierre de taille
« à coussinets »

Bossage rustique

Bossage rustique
à arêtes vives

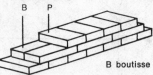

B boutisse
P parpaing

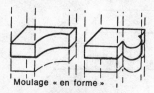

Moulage « en forme »

Pignons
« traversiers » de
« maisonnettes sur
le toit ».
Renaissance

Phénix → Symboles 12.
Phylactère → Banderole.
Pied-droit. Jambage de portes ou fenêtres (particulièrement ébrasées, c'est-à-dire taillées en biais dans le mur). Montant sur lequel retombe une des voussures de l'archivolte d'un portail. Le portail à pieds-droits roman et gothique est souvent richement orné et sculpté de figures. Fig. → Fenêtre, 1, 2 ; Portail.

Pierre à bâtir. On distingue :
I. Selon que les pierres sont plus ou moins taillées :
1) Le *moellon,* pierre brute, non taillée, aux contours irréguliers → Appareil.
2) *Pierre appareillée,* à laquelle on a donné une forme régulière. La *pierre de taille* est un bloc massif et rectangulaire. On dit qu'elle est à coussinets lorsque sa surface extérieure est arrondie.
II. Selon leur disposition :
Le *parpaing* visible sur toute sa longueur, alors que seul le bout de la *boutisse* est apparent.
III. En fonction de leur emploi:
1) Le *bossage,* saillie laissée sur le parement d'une pierre taillée ; très utilisé, pour son effet imposant, par l'architecture antique, celle de la Renaissance et du baroque, notamment pour les rez-de-chaussée (bossage rustique : les parements restent bruts) ou pour les pierres angulaires. Ouvrage « en bosse » → sculpture II. 2) Dans l'architecture en briques, on moule spécialement « *en forme* » les briques qui seront utilisées pour la construction d'éléments courbes (arcs, remplage, etc.). Fig. ci-contre.

La brique tanisée : l'addition de tan a pour effet de creuser des cavités à la cuisson. On obtenait ainsi des briques particulièrement légères, employées pour les voûtes gothiques.

Pignon. Mur de clôture entre les versants d'un toit en double pente. Il se termine en triangle. On surmonte aussi souvent un portail d'un pignon décoratif (Illustr. → gâble, portail). Le fronton antique, triangulaire, orné d'acrotères et de reliefs, inspire les pignons de la Renaissance, du baroque et de l'architecture classique. Le pignon triangulaire roman est presque en angle droit et très dépouillé. Celui du gothique est plus pointu, souvent ajouré d'une rose et d'un remplage en orbevoie, richement orné de → pinacles et crochets, couronné d'un fleuron (→ ornements). Le gothique en briques d'Allemagne du Nord (→ briques, construction en) crée le pignon à *gradins*, qui sera en vogue à la Renaissance où il s'enrichira de pyramides → obélisques et → volutes. Le pignon baroque aime les lignes courbes, découpures à redents. Les frontons sont volontiers brisés ou interrompus.

Pignon « traversier ». Pignon des « maisonnettes sur le toit » de certaines maisons gothiques. Elles s'élèvent perpendiculairement à la ligne faîtière, et leur pignon équilibre le contraste entre cette longue arête horizontale et la verticalité des murs.

Pilastre. Pilier engagé dans un mur sur lequel il ne fait qu'une

Pignon Renaissance à redents (à g.).
Pignon baroque (à dr.)

Fronton triangulaire brisé (à g.), interrompu (au centre), curviligne interrompu (à dr.)

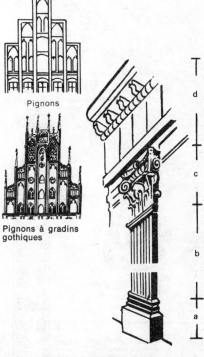

Pignons

Pignons à gradins gothiques

Pilastre baroque, vers 1700. a) base; b) fût cannelé; c) chapiteau; d) entablement

161

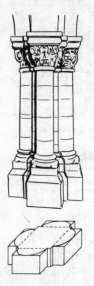

Pilier fasciculé ; roman, vers 1200. En dessous : coupe transversale de sa base. Le « noyau » (en pointillé) du pilier est cantonné de quatre demi-colonnes à socle

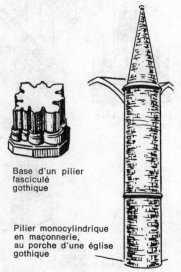

Base d'un pilier fasciculé gothique

Pilier monocylindrique en maçonnerie, au porche d'une église gothique

faible saillie. Comme une → colonne, il comporte une base (pied), un fût, un → chapiteau ou une → imposte, peut être cannelé (→ cannelure) ou ornementé. Ses fonctions : renforcement des murs, support d'un entablement, encadrement de fenêtres ou d'un portail - il peut aussi être un élément de l'ordonnance de la façade.

Pilier (latin *pila*). Support vertical à section rectangulaire ou polygonale. Comme une colonne, il comporte base, → fût, → chapiteau (et/ou imposte). Il peut être engagé dans le mur (pilastre) ou isolé.

Le *pilier monocylindique* (surtout fréquent dans les égliseshalles du gothique tardif) est de section circulaire, son principe est le même que celui de la colonne dont cependant il se distingue généralement par sa hauteur et l'absence de chapiteau.

Le *pilier fasciculé* est constitué d'un faisceau de colonnes engagées, qui se prolongent jusque dans les nervures de la → voûte.

Pin (pomme de) → Ornements.

Pinacle (grec) ou clocheton : gracieuse tourelle, svelte et pointue, dont l'architecture gothique couronne des tours, des piliers, flanque des → gâbles. Le pinacle se compose 1) d'un *corps* octogonal, souvent en forme de → tabernacle, volontiers ajouré et coiffé, à chaque angle, d'un petit toit en bâtière ; 2) d'une *flèche* en forme de pyramide, ornée de crochets et couronnée d'un fleuron (→ ornements).

Piscine. 1) Cuve baptismale du → baptistère. 2) Vasque liturgique pourvue d'un écoulement, souvent creusée en forme de niche dans la paroi sud du chœur. Les prêtres s'y lavaient les mains et y rinçaient les vases sacrés.

Pitié (Christ de). Christ représenté en « Homme de douleur » avec la couronne d'épines et les stigmates. Il est vêtu d'un pagne, mais a souvent aussi un manteau jeté sur les épaules, ainsi que les mains liées. Thème iconographique fréquent en Allemagne à partir du XIVᵉ siècle.

Plan basilical ayant pour unité de mesure le carré du transept. De nombreuses églises romanes sont construites sur ce principe. Le carré du transept se retrouve - avec parfois de légères déviations - dans les mesures du → chœur, des bras du transept, des → travées de la nef centrale. Les travées des collatéraux étant calculées, quant à elles, sur la moitié du côté du carré du transept.

Plan central. Construction qui se développe régulièrement autour d'un espace central (rond, carré ou polygonal) nettement délimité. Cette ordonnance se coiffe tout naturellement de la coupole (une ou plusieurs), qui constitue l'un des éléments les plus caractéristiques des édifices en plan central. L'Antiquité l'emploie pour les → tombeaux, plus rarement pour les temples ronds (fig. p. 9). Le christianisme primitif et médiéval préfère la ligne allongée de la → basilique, réservant le plan

Pinacle gothique

Piscine, goth. tardif, XVᵉ s.

163

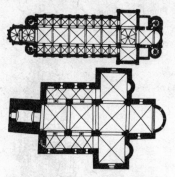

Plan basilical ayant pour unité de mesure le carré du transept. En haut : forme normale ; en bas, avec de légères déviations (cas fréquent)

Plinthe (P) à la base d'un pilier fasciculé roman

Poêle de faïence Renaiss.

Polyptyque à 3 volets

central presque uniquement aux → baptistères, chapelles funéraires ou chapelles palatines (fig. → p. 14-21-31). L'art → byzantin, en revanche, l'adopte également pour des églises paroissiales. La Renaissance, le baroque et le classicisme font retour au plan central, pour des édifices où il est souvent contigu à un vaisseau rectangulaire.

Plaquette → Médaille.

Plateresque (style). De l'espagnol *platero* = « orfèvre d'argent ». Style de décoration espagnol du gothique tardif (XVᵉ siècle). Il a tendance à se surcharger de petits motifs d'inspiration mauresque, gothique, aussi bien que Renaissance. Fig. → Burgos, p. 29.

Plinthe (grec *plinthos* = « brique »). Socle rectangulaire ou carré sous une → colonne, un → pilier, un piédestal (fig. → Balustre), une statue.

Poêle en faïence. Les plus anciens de ceux parvenus jusqu'à nous datent du gothique tardif. Dans leurs grandes lignes, les formes de base n'ont guère varié depuis : une construction à quatre côtés, sur pieds, plus étroite dans sa partie supérieure, souvent rehaussée d'un couronnement. La Renaissance le pare d'une profusion d'ornements et de couleurs (poêles en majolique à partir du XVIᵉ siècle). Les carreaux de Delft sont très appréciés par le baroque nordique du XVIIᵉ siècle. Le rococo aime les formes et l'ornementation sinueuses, mais en blanc. A la période classique, la partie supérieure devient cylindrique et la décoration se limite à un relief central en terre cuite. Aujourd'hui, on l'aime de forme cubique.

Point de fuite → Perspective. (Ill.).

Poisson → Symboles 7.

Polyptyque (grec). Retable ou tableau à plus de deux volets → Diptyque, triptyque.

Pondération (lat.). En statuaire, répartition harmonieuse du poids du corps sur les jambes. Cas particulier → contrapposto.

Porcelaine. → Céramique.

Portail. Entrée monumentale. Le portail occidental s'est inspiré de l'arc de triomphe romain. Ses parties principales : 1) le linteau ; 2) le tympan. (Fig. → Evangélistes) ; 3) le trumeau ; 4) les montants ; 5) les pieds-droits avec leurs statues ; 6) l'intrados des voussures et l'→ archivolte ; 7) le → gâble ; 8) le → pignon ; 9) l'encadrement du portail → profil 2.

Portail roman, XIe-XIIe s. (comparer p.19)

Gothique, XIIIe s. (comparer p. 24)

aiss., fin XVIe s.

Baroque tardif, v. 1750 (comparer p. 47)

Classique, début XIXe siècle

165

Vierge sage et Vierge folle.
Gothique

Portique classique, vers 1770

Portail nuptial. Portail latéral, sur le côté Nord de certaines églises gothiques. C'est là qu'on célébrait les mariages. Sa décoration comporte souvent « Les Vierges sages et les Vierges folles » (Matth. 25, 1-12).

Portatif → Autel.

Portique. Appelé *stoa* en Grèce. Galerie couverte, à colonnes, devant l'entrée principale de l'édifice. Antiquité, Renaissance et jusqu'au classique. (Ill. p. 10, 50.)

Portrait. Tableau ou sculpture à la ressemblance du modèle, dont l'artiste attache à rendre le physique et le caractère. On les classe : 1) suivant que le modèle est représenté entièrement ou partiellement en tête, buste, portrait à mi-corps, au genou, en pied ; 2) selon la position (surtout de la tête) : de face, profil, de trois quarts, profil perdu ; 3) suivant le nombre de personnes représentées : individuel, double ou portrait de groupe.

Silhouette

Face

De trois-quarts

Profil

Profil perdu

Si l'art du portrait était hautement développé durant l'Antiquité (notamment dans l'art hellénistique et romain), il connaît une éclipse - due à l'absence autant des motivations que des capacités - jusqu'au XIVᵉ siècle. A la Renaissance, nouvelle période de gloire, mais c'est sans doute au XVIIIᵉ siècle qu'il connaît son plus grand épanouissement. Depuis lors, il est resté l'un des thèmes principaux des arts plastiques.

La *silhouette* (doit son nom à Etienne de Silhouette, l'économe ministre des Finances de Louis XV). Technique particulière, surtout pratiquée aux XVIIIᵉ et XIXᵉ siècles : découpage d'un profil dans une feuille de papier noir, appliquée sur fond clair.

Postes → Ornements.

Prédelle → Autel.

Presbytère → Abside, Ill. p. 20.

Profil. 1) → portrait. 2) Partie nettement en saillie d'un élément d'architecture - visible dans le plan. Par exemple le → talon, l'encadrement d'une → fenêtre ou d'un → portail par des boudins ou des colonnes.

Pronaos → Ill. p. 9.

Proportions (science des). La somme des lois qui régissent les rapports entre les différentes parties d'une œuvre d'art pour constituer un ensemble harmonieux. Elle est assez relative, car ces lois changent avec le goût du temps. Parmi les plus importantes :

1) Le *canon* (grec = « règle »), unité de mesure pour les proportions de la figure humaine.

Détermination d'un profil par des colonnes, des niches, etc., encadrant le portail d'une église baroque (plan)

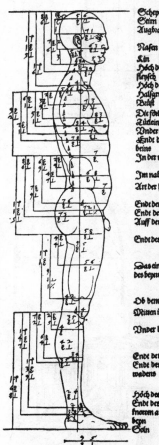

Proportions : canon du corps humain, d'après Dürer, 1528

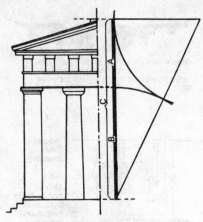

Nombre d'or, construction et application dans un temple dorique, où il détermine le rapport de la hauteur des colonnes à celle de l'ensemble de l'édifice.

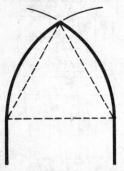

Triangulation d'un arc en tiers-point gothique

Propylées de l'Acropole, Athènes

Il se calcule généralement sur le rapport tête-corps (1/7 à 1/10). Illustr. → Icône. 2) Le *nombre d'or,* division d'une ligne C en deux parties inégales (B - major - plus grand que A - minor) de telle sorte que A divisé par B soit égal à B divisé par C. Le nombre d'or est bien plus rarement utilisé par les artistes qu'on ne le pense généralement. 3) La *quadrature,* prenant le carré comme unité de mesure, → plan basilical ayant pour unité de mesure le carré du transept. 4) La *triangulation :* le triangle équilatéral sert à déterminer les points architectoniques importants. On s'est efforcé d'expliquer - a posteriori - l'architecture gothique par la triangulation, mais il paraît plus probable qu'elle a pour figure géométrique de base le triangle à angles aigus dans ses différentes variantes.

Propylées (grec *propylaion* = « porte placée devant »). Constructions placées à l'entrée monumentale d'édifices religieux. Les plus célèbres sont les Propylées de l'Acropole, le « Palais des Dieux » d'Athènes (436 à 432 av. J.-C.).

Prostyle → Ill. p. 9.

Pseudo-basilique → Eglise-halle.

Pseudo-périptère → Ill. p. 11.

Purisme. Recherche intolérante d'une absolue pureté du style. Le purisme a fait des ravages, au XIXe siècle notamment : on a détruit par exemple dans les églises gothiques de précieuses œuvres d'art, sous prétexte qu'elles appartenaient à des styles postérieurs, pour les rem-

placer par du → néo-gothique.
Aujourd'hui, il s'exprime avec
mesure lorsqu'il n'est pas entièrement banni.

Putto → Sculpture ornementale.

Pylone. Tours ou montants mo-
numentaux placés de part et
d'autre d'un portail.

Pylones baroques

Quadrature → Proportions
(science des).

Quadrige (latin *quadrigae* =
« attelage à quatre »). Dans la
Grèce antique, char de guerre,
ouvert à l'arrière, et attelé de
quatre chevaux de front. A
Rome, il est employé comme
char de course et de triomphe.
Depuis le IVe siècle avant J.-C.
(Mausolée de Halicarnasse),
il sert de couronnement décoratif
à certains édifices.

Quadrilobe → Ornements.

Quart de rond → Moulure à
profil convexe.

Quatre-feuilles → Ornements.

Quintefeuille → Ornements.

Quadrige, représenté sur une
monnaie grecque

Raphaël → Ange I.

Redents. Découpures en formes
de dents des pignons à gradins,
dont l'ornementation comporte
aussi des → volutes, → obélisques, etc. Surtout pignons Renaissance et baroque.

Réfectoire → Cloître.

Relief → Sculpture ornementale.

Reliquaire (latin *reliquis* =
« restes »). Sorte de boîte dans
laquelle on conserve et on ex-
pose des ossements d'un saint.
Sa forme la plus répandue est le
coffret à reliques, dont les panneaux sont souvent richement
décorés de figures d'or ou d'ar-

Pignon à redents, Renaissance
tardive, 1609

Coffret reliquaire, roman, vers 1200

A g. chef-reliquaire, bronze, XIIIe s.;
à dr., bras-reliquaire, fin XVe s.

Rococo, figurine de porcelaine de
Nympherburg, vers 1755.

gent repoussé, d'émaux et de pierres précieuses (surtout du XIIe au XVe siècles). D'autres reliquaires, selon l'origine des ossements qu'ils recèlent, représentent un buste, une tête (chef-reliquaire), un pied, un bras, une main.

On appelle *staurothèque* (grec = « coffret de la croix ») un reliquaire contenant un morceau de la Croix du Christ.

Remplage → Ornements.

Ressaut. Avancée, saillie que forme sur le mur d'un édifice un membre d'architecture, par exemple → console, → corniche, → encorbellement, voire un étage entier.

Retable → Autel.

Rocaille → Ornements.

Rococo (style). Style décoratif de la phase terminale du baroque (1730 à 1780). Son nom dérive de rocaille, l'→ ornement préféré de cette époque (on dit d'ailleurs également style rocaille) mais on l'appelle aussi style Louis XV. On aime toujours les lignes sinueuses et mouvementées, mais à la pompe pesante du baroque succède une délicatesse mièvre. La symétrie n'est plus de mise. Petits pastels et figurines de porcelaine remplacent la peinture monumentale et la statuaire du baroque. Sur la scène, pastorales et opéras comiques supplantent les drames pathétiques. Dans les intérieurs, la décoration luxuriante des pièces et des meubles traduit des goûts raffinés.

Roland. Statue-colonne figurant, du XIVe au XVIIIe siècle, sur la grand'place de nombreuses villes allemandes entre la Weser et l'Oder. En bois ou en pierre, elle représente un chevalier - à l'époque baroque un guerrier romain - brandissant son épée nue. Probablement symbole des privilèges de la cité.

Romain (ordre) → Colonne.

Romantisme. Le mouvement d'idées qui a pris dans l'Histoire le nom de mouvement romantique se prépare et se manifeste durant le premier tiers du XIXe siècle. En réaction contre la rigidité géométrique et abstraite du néo-classicisme, le Romantisme marque une rupture radicale d'avec le règne de la raison ; il privilégie la puissance des sentiments, des passions et de l'imagination (et non plus l'imitation plate des Anciens), ce qui amène ses tenants à se réfugier dans un passé irréel mystique, idéalisé : souvent le Moyen Age (cf. Viollet-le-Duc, qui restaure Notre-Dame de Paris, et les architectes allemands → néo-gothique) ou la Renaissance (→ néo-Renaissance).

Rosace → Ornements.

Rotonde (latin = « rond »). (Edifice à plan central circulaire ou polygonal). Elle n'est souvent qu'une partie d'un ensemble.

Rustique (bossage) → Pierre à bâtir, III, 1.

Sacristie. Vestiaire pour les ecclésiastiques et officiants, avec accès au → chœur de l'église. Elle sert souvent de trésor.

Roland (Allemagne), gothique, XIVe siècle

Château de Neuschwanstein ; ép. romantique ; 1869-90

Rotonde, IIe siècle

Saints et les corporations
qu'ils patronnent :

Adrien : soldats
André : pêcheurs
Anne : marins, menuisiers
Antoine : charcutiers
Barbe : artilleurs, sapeurs
Barnabé : tisserands
Barthélemy : tanneurs
Blaise : cardeurs, tisserands
Cassien : maîtres d'école
Catherine : étudiants, meuniers,
    raccommodeurs
Cécile : luthiers, musiciens
Charlemagne : écoliers
Christophe : déchargeurs,
    portefaix
Claire : brodeurs
Claude : tailleurs de pierre
Cloud : cloutiers
Côme : médecins
Crépin : cordonniers
Damien : médecins
Eloi : forgerons, horlogers
    maquignons, métallurgistes,
    monnayeurs, orfèvres,
    plombiers, serruriers,
    charrons
Fiacre : jardiniers
François d'Assise : tailleurs,
    tapissiers
Genès : comédiens
Geneviève : bergères
Georges : cavaliers
Grégoire : chantres,
    luthiers
Guy : sacristains
Honoré : boulangers
Hubert : chasseurs, fondeurs,
    forestiers
Isidore : laboureurs
Jacques : chapeliers
Jacques le Majeur : pèlerins
Jean-Baptiste : rémouleurs,
    tonneliers
Jean-Porte-Latine : imprimeurs
Joseph : charpentiers,
    menuisiers
Jude : scieurs de long
Julien l'Hospitalier : voyageurs

Laurent : pompiers, rôtisseurs
Louis : coiffeurs, passementiers
Luc : médecins, peintres,
    sculpteurs, vitriers
Marie-Madeleine : parfumeurs
Marthe : cuisiniers, hôteliers,
    lavandières, servantes
Martin : maréchaux-ferrants,
    militaires, tonneliers
Matthieu : banquiers
Maur : chaudronniers
Maurice : militaires, teinturiers
Médard : brasseurs,
    agriculteurs
Michel : armuriers
Nicolas : tonneliers, bateliers,
    bouchers, épiciers, marchands
    de vin
Paul : vanniers
Pierre : pêcheurs
Sébastien : archers
Simon : scieurs de long
Thomas : architectes, maçons
Véronique : lingères
Vincent : couvreurs,
    vignerons
Yves : avocats, notaires

Saint-Sépulcre. 1) Tombeau du
Christ à Jérusalem. Evoqué, du
IVᵉ au XVIIIᵉ siècle, par des
chapelles, le plus souvent rondes. Surtout nombreuses au
Moyen Age. 2) Groupe de statues, en pierre ou en bois, dans
une église : sarcophage avec
le corps du Christ, les anges
les trois Marie et les gardiens
endormis (à partir du XIVᵉ siècle).

Salle du chapitre ou capitulaire
→ Cloître.

Sarcophage → Tombeau.

Scotie. Moulure semi-circulaire
(→ Attique → Gorge).

Sculpture. Art de reproduire
des objets en relief, aussi ancien
que les temps historiques. On

distingue la statuaire et la sculpture monumentale. Matières mises en œuvre : bronze, pierre, bois, argile, cire, ivoire, métaux précieux, etc.

Principales techniques :

I. *La fonte du bronze.* Le modèle préparé peut être coulé de deux façons : 1) A cire perdue. Le modèle en terre est porté au rouge : cette opération le durcit et forme le noyau (N) de la fonte. On le revêt d'une couche de cire (C) de l'épaisseur du futur manteau de bronze. Le tout est placé dans un moule (M) de glaise. Des parcelles de métal (Me) sont introduites dans le noyau, de petits tuyaux (T) dans la couche de cire. On chauffe le moule, ce qui fait fondre la cire qui s'écoule par les tuyaux, les petits bouts de métal empêchant le noyau et le moule de se déformer, et par un canal (C) on fait couler le bronze en fusion (9 parts de cuivre pour une part d'étain) dans la cavité. Après refroidissement, on démolit le moule et la statue apparaît. Cette technique est, depuis toujours, très employée. 2) Dans la *fonte au sable*, le moule, composé d'un assemblage de pièces de plâtre, est enlevé morceau par morceau (ces fragments seront conservés).

II. *La sculpture en pierre.* Le plus souvent, on commence par mouler un modèle en plâtre, grandeur nature, d'après une esquisse en argile. C'est en se servant de ce modèle que l'artiste taillera sa statue dans la pierre, soit à main levée, soit

Saint-Sépulcre, goth. tardif (France)

Fonte du bronze

Statue en pierre : ses parties inachevées sont encore « en bosse »

Sculpture en bois

Atlas baroque   Cariatide grecque

Hermès: a) isolé, b) contre un pilastre. Baroque.

sous le contrôle d'appareils de mesure. Les parties inachevées sont dites « en bosse ».

III. *La sculpture en bois.* L'artiste travaille d'après un dessin, ou d'après un modèle en argile ou en plâtre. En se servant de planes, maillets et ciseaux à bois, il taille l'œuvre dans un bloc de bois grossièrement équarri ou toupillé.

Sculpture « habillée ». Jusqu'à la fin du baroque, on « habillait » fréquemment d'or ou de couleurs les sculptures en bois, à la fois dans un souci esthétique et de protection. Tantôt la statue était peinte directement (avec des couleurs à l'huile), tantôt on la revêtait au préalable d'une couche de plâtre ou de craie, ou encore d'une toile. La profession d'« habilleur de statues » était très répandue.

Sculpture ornementale. Ses œuvres prennent place, en étroite liaison avec l'architecture, sur les parties extérieures ou intérieures d'un édifice. Les créations purement décoratives (par exemple les frises) ou contribuant à l'harmonie de l'édifice (bandes lombardes, remplage, etc.) relèvent de l'ornementation. On distingue de celle-ci la représentation des figures, qu'elles soient statues ou reliefs (voir ci-dessous). La sculpture monumentale a connu un grand épanouissement dans l'Antiquité, au roman tardif, au gothique et au baroque. Elle est en régression depuis la période classique, supplantée par la sculpture « indépendante », dont les rapports avec l'architecture sont beaucoup plus lâches, voire inexistants.

Formes et thèmes les plus fréquents de la sculpture ornementale :

Les *acrotères* (grec) décorant les frontons des temples et tombeaux (Antiquité, Renaissance, art classique) peuvent avoir la forme de feuilles d'acanthe ou de palmettes (motifs appartenant à l'ornementation) mais aussi de lions, sphinx, etc.

Les *Atlantes,* d'après le géant Atlas qui, selon les Anciens, portait le ciel sur son dos. Puissantes figures masculines, qui jouent le rôle de piliers ou colonnes pour soutenir l'édifice.

Les *Cariatides* (grec), version féminine des Atlantes. Elles sont drapées de longues robes. Leur nom vient du village de Karyai qui avait trahi pendant les guerres médiques et, par mesure de représailles, ses jeunes filles avaient été emmenées en esclavage. D'où : Cariatide = esclave.

Comme la Cariatide, la *Coré* est une statue-colonne féminine. (Antiquité et à partir de la Renaissance).

L'*Hermès*, bien qu'en fait il s'agisse d'une statue indépendante (tête d'Hermès sur un fût à base carrée). On appelle également Hermès, depuis la Re-

Amour baroque

Acrotère, grec

Cupidon, grec

Putto rococo, se situant à la 6e station du Chemin de Croix: Véronique tend le suaire à Jésus

Tête conjuratoire romane

Œuvre sculptée des ateliers : Annonciation, portail gothique (ci-dessus) ; Pythagore, archivolte d'un portail gothique . (ci-dessous)

naissance, une figure à mi-corps, du type atlante, placée contre un pilier ou un → pilastre.

Amours, petits garçons généralement ailés, évocations du dieu de l'amour à la manière des Cupidons antiques. Très prisés au rococo.

Cupidons, enfants ailés, petits Eros. Dans l'art hellénistique, ils accompagnent souvent une statue. Ils peuplent aussi les peintures murales de Pompéi. Ils ont inspiré les angelots gothiques et les Putti de la Renaissance et du baroque.

Les *Putti* (singulier putto = « petit enfant »). Garçonnets nus, ailés ou non. Ils sont, eux, dérivés des angelots gothiques. Partout, depuis la haute Renaissance (mais surtout au baroque) : autels, tableaux, orgues, murs, plafonds et galeries des églises. Dans leur action, ils répètent généralement d'une manière symbolique le thème principal de l'ensemble auquel ils participent.

Tête conjuratoires. Têtes animales ou humaines, sculptées aux murs de maisons d'habitations, d'églises romanes, aux stalles de chœur ou aux fonts baptismaux pour chasser les mauvais esprits.

L'œuvre sculptée des ateliers. Dans les → ateliers des bâtisseurs de cathédrales du Moyen Age (y compris dans la première période de l'art roman, où ils étaient composés principalement de moines), la sculpture a aussi sa place. L'ensemble de ces œuvres constitue à la fois une illustration presque exhaus-

Métope, grec

tive, riche d'interprétations de la Bible, et une véritable encyclopédie de la vie spirituelle du Moyen Age, mêlant événements contemporains, légendes sur la vie des saints et allégories démoniaques. En France, elle figure plutôt sur les façades et les portails, en Allemagne à l'intérieur des églises.

Le *relief* : la sculpture est en saillie sur une surface plane, et n'en est pas entièrement dégagée. Ses formes principales suivant que la saillie est plus ou moins accusée : 1) Le relief « immergé » (égyptien). Les figures, cernées d'une ligne en creux, ne sont pas proéminentes. 2) Le bas-relief. 3) Le haut-relief.

Parmi les reliefs antiques les plus célèbres, il faut citer ceux des *métopes* (dalle sculptée placée entre deux triglyphes, sous les chéneaux des temples doriques).

Second Empire (style). Il se classe parmi les styles « historicisants » du XIXe siècle qui, faute d'inspiration originale, imitent l'architecture des siècles passés (→ néo-gothique, néo-renaissance). Le style Second Empire s'exprime par un néo-baroque massif et pompeux (Opéra de Paris, banques, etc.).

Bronze roman, XIe siècle : bas-relief et haut-relief

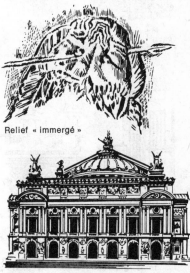

Relief « immergé »

Second Empire : Opéra de Paris, 1861-74

177

Signe du maître d'œuvre : celui de la famille Parler, une dynastie de maîtres d'œuvres. Apposé au buste Parler du Veitsdom de Prague (en bas). Goth., vers 1380

Sgraffito : C couleurs ; M maçonnerie

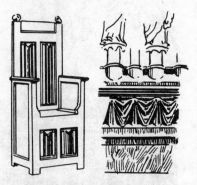

A g. Serviette repliée décorant un trône gothique ; à dr. en pierre ; socle de portail à pieds-droits gothique

Séducteur (le) → Allégorie personnifiant les plaisirs du monde et leurs tentations, figurant au → portail nuptial des églises. Elle se présente sous la forme d'un élégant jeune homme, séducteur des Vierges folles. En vis-à-vis, le Christ avec les Vierges sages.

Séraphin → Ange 4.

Serviette repliée ou parchemin plié. 1) Motif décoratif en plis serrés et verticaux, sculpté sur les panneaux de menuiserie (meubles gothiques). 2) Draperie de pierre décorant des socles (gothique tardif et Renaissance).

Sgraffito (ital. *sgraffiare* = « égratigner »). Procédé de peinture murale par grattage. Superposition de couches de couleurs différentes, qu'on gratte ensuite jusqu'à obtention de la teinte désirée. Très répandu aujourd'hui. A la Renaissance italienne, on appliquait du blanc sur un fond noir, gris ou rouge, et on grattait la peinture encore humide pour faire apparaître un dessin.

Signe lapidaire → Marque du tâcheron.

Signe du maître-d'œuvre. Souvent creusé dans un écu, il est la marque personnelle du maître d'œuvre. Il s'apposait à un emplacement bien visible sur l'édifice. A partir du XIVe siècle.

Silhouette → Portrait.

Simulée (Architecture). Eléments d'architecture peints en trompe-l'œil sur des murs ou des plafonds. Ils font paraître la pièce plus grande. → Grisaille, Perspective.

Socle (lat. *socculus* = « petit soulier »). 1) Plinthe au bas d'un mur, souvent soulignée par une moulure (→ corniche). 2) Base servant de support à une → colonne, une statue (→ Sculpture).

Sommier → Arc.

Soubassement → Colonne.

Stalles du chœur. Sièges garnissant les deux côtés du chœur dans les cathédrales, les églises conventuelles et les collégiales (depuis le XIIIe siècle). Ils sont généralement répartis en deux rangées de hauteur inégale, et richement ornés. Ils permettent aux membres du clergé aussi bien de s'agenouiller que de s'asseoir. La *stalle* est un siège individuel, séparé du siège voisin par un *accoudoir*. Le dossier peut être couvert d'un morceau d'étoffe, le *dorsal*. Pour la station debout, on relève le siège, ce qui permet de prendre

Double rangée de stalles du chœur, sièges relevés. Gothique

Miséricorde ornée d'une drôlerie

L'aspic

Monogramme du Christ avec l'alpha et l'oméga dans un médaillon des premiers siècles

Stèle funéraire ; Grèce, 460 av. J.-C.

Licorne

Poisson

Triangle

Croix, cœur, ancre

appui sur la *Miséricorde* (« per misericordiam » = par compassion), petite console placée sous l'abattant. De même que les parcloses et les *jouées*, les hautes cloisons latérales qui ferment la rangée de stalles, les miséricordes sont souvent ornées de petits personnages d'une verve parfois très profane, les *drôleries*. Fig. p. 25.

Statue → Sculpture ormenentale.

Staurothèque → Reliquaire.

Stavkirke → Eglise en bois.

Stèle (grec = « colonne »). Epigraphe, monument funéraire (avec le portrait du défunt) ou commémoratif en forme de bloc de pierre dressé verticalement.

Stylobate → Colonne.

Symboles (chrétiens). Image employée pour indiquer le sens profond d'une notion abstraite (alors que l'→ allégorie la personnifie). C'est pourquoi les symboles ne sont compréhensibles que par les initiés. La signification de l'imagerie animalière symbolique du Moyen Age (telle qu'on peut la voir sur les → chapiteaux, les → portails) est en grande partie oubliée. Parmi les principaux symboles chrétiens :

1. Agnus Dei (lat. = « Agneau de Dieu ») symbolisant le sacrifice du Christ. Fig. p. 137.

2. L'Aspic, sous les pieds du Christ : le péché (d'après les Psaumes 90, 13).

3. L'Alpha et l'Omega, première et dernière lettres de l'alphabet grec : Dieu est infini.

4. Le monogramme du Christ → Croix 10.

5. L'œil dans un triangle : la →
Trinité.

6. La licorne : la chasteté, la
virginité de Marie.

7. Le poisson : représentation
du Christ.

8. La → croix : le sacrifice du
Christ.

9. Croix, cœur, ancre : la foi,
l'amour, l'espérance.

10. Le pélican (qui d'après la
légende nourrit ses petits de sa
propre chair) : l'amour allant
jusqu'au sacrifice.

11. Le paon (indestructible,
d'après la légende) : la résurrec-
tion de la chair.

12. Le phénix (qui renaît de
ses cendres) : la mort et la Ré-
surrection du Christ.

13. Le → diable.

14. Les signes du zodiaque :
les Travaux des Mois. Ils sont
souvent accompagnés de scènes
des travaux des champs du
mois correspondant.

15. → Typologie.

Synagogue. Allégorie de →
l'Eglise et la Synagogue.

Tabernacle (lat. *tabernaculum*
= « cabane, tente »). 1) → Ciborium. 2) Petite armoire contenant les hosties, placée sur la
table d'autel.

Talon. Moulure à double courbure, à profil alternativement
saillant et rentrant. Lorsque la
partie concave est en haut et la
partie convexe en bas (forme
de S), on l'appelle doucine.
(Chapiteaux, bases de colonnes.)

Tambour → Coupole.

Tapis et tapisserie. 1) Tissage :
les fils de la chaîne et la trame

Pélican

Paon

Phénix

Signe du
zodiaque :
scorpion et
novembre

Talon (T) et doucine (D)

se croisent perpendiculairement (ex. : le Jacquard). 2) Tapisseries de haute et basse lisse : les fils de trame multicolores sont insérés dans la chaîne à l'aide d'une flûte ou d'aiguilles en bois (ex. : Gobelins). 3) Nouage : les fils de chaîne sont noués à de petits brins de fils multicolores (tapis d'Orient).

Targe → Armoiries.

Tectonique. Ensemble des lignes, masses et volumes qui remplissent le champ d'une œuvre d'art.

Temple → Architecture religieuse. Antiquité, première partie.

Tenants → Armoiries.

Tenture de Carême (vue partielle). 1623, Westphalie

Théâtre romain ; 13 av. J.-C. Reconstit.

Tentures de Carême. Grande tenture décorée de panneaux illustrant des scènes de la Passion ou les → Instruments de la Passion. Elles peuvent être de toile peinte, imprimée ou en tapisserie. On les suspendait pendant le Carême entre le chœur et la nef (du XIVe au XVIIe siècle. Rare aujourd'hui).

Terre cuite → Céramique.

Tétramorphe → Evangélistes.

Têtes conjuratoires → Sculpture ornementale.

Théâtre antique.

1) *Le théâtre grec* est nettement divisé en trois parties : la salle, en hémicycle, aux places en gradins, généralement adossée au flanc d'une colline ; l'orchestre, d'abord circulaire puis semi-circulaire, consacré à la danse et aux évolutions du chœur tragique, avec au centre l'autel de Dionysos ; la scène.

2) *Le théâtre romain* est du même type que le théâtre grec, mais son orchestre est semi-circulaire.

3) *L'amphithéâtre* elliptique serait issu de la jonction de deux théâtres en bois. L'arène est au centre, et les spectateurs se tiennent tout autour sur des gradins.

Thermes. Etablissement de bains romain, souvent monumental. Il est chauffé par un calorifère souterrain (→ hypocauste), la chaleur étant diffusée par des parois ou des briques creuses. Il comprenait prnicipalement :
1) l'Apodyterium = vestiaire.
2) le Frigidarium = bain froid.
3) le Tepidarium = étuve sèche, à température modérée.

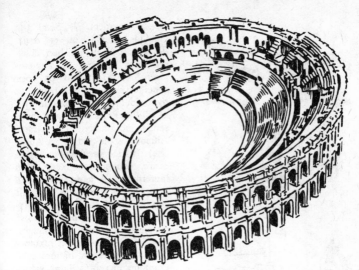

Amphithéâtre, Nîmes (Gard)
Romain, IIe siècle. Etat actuel

4) le Caldarium = étuve humide, chaude.
5) le Sudatorium = bain de vapeur.

Toit (formes de). 1) *En appentis,* à un seul versant ou rampant. 2) *En bâtière,* à deux versants. 3) *En croupe,* à quatre versants, mais il conserve une ligne faîtière. 4) *A croupe faîtière,* il ne mord qu'en partie sur le pignon (par ex. maisons alsaciennes, de la Forêt-Noire). 5) *En pavillon,* à quatre pentes, en forme de pyramide. Il peut être sur plan carré, rectangulaire ou polygonal. On l'appelle toit en tour lorsqu'il est beaucoup plus haut que large.
6) *Toit à la mansarde* (d'après l'architecte français François Mansart, 1648-1706): on peut le pratiquer dans le comble des chambres ayant un mur en pente

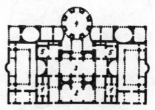

Thermes romains ; vers 200

En appentis   En bâtière

En croupe   A croupe faîtière

En pavillon   A la mansarde

183

Shed ou en
dents de scie

En poivrière

Bulbeux

Dômes à
bulbes superp.

En accordéon

Rhomboïdal

Transversal

Torse

184

(les mansardes). 7) *Shed* (de l'anglais hangar) ou en *dents de scie,* permet un bon éclairage des ateliers. 8) *En poivrière,* c'est un toit en tour à pente très raide, qui peut être pyramidal (a) ou conique (b). 9) *Bulbeux* (depuis la Renaissance, notamment en Alsace, Allemagne du Sud et en Autriche). 10) *Dôme à bulbes superposés,* souvent surmonté d'un lanterneau (→ coupole). Baroque. 11) *En accordéon,* il paraît comme plissé sur sa base polygonale. 12) *A rhombes,* composé de pans en forme de losanges. 13) *Toits transversaux,* juxtaposition de toits en bâtière couvrant les bas-côtés d'une église, perpendiculairement à la nef centrale. (Fréquents en Westphalie et Basse-Saxe).

Toitures romaines. Toiture en tuiles rondes, très répandue dans le Sud de l'Europe. Les tuiles inférieures ou « tégoles » sont larges et étroitement juxtaposées, et leurs joints recouverts d'une tuile plus étroite, la « canali ». Si tégole et canali sont d'une seule pièce, c'est la tuile flamande (panne).

Toiture romaine. T tégole. C canali

Tombeau. C'est souvent un monument indépendant (temple, chapelle funéraire, mausolée, pyramide, etc.). On peut voir encore dans les cimetières, les églises, les galeries de cloître, nombre de tombeaux anciens qui sont de véritables œuvres d'art. Leurs formes principales :
1) La plaque tombale, de pierre ou de bronze, insérée dans le sol. (Haut Moyen Age.) 2) Le tombeau, construction rectangulaire, ornementée, qui supporte la plaque tombale, généralement ornée de l'effigie du défunt. Certains tombeaux sont surmontés d'une sorte de baldaquin. Ceux des chevaliers portent souvent leurs armes funéraires (Moyen Age). 3) Le sarcophage (grec = « mange-chair », sa pierre calcaire, disait-on, avait la propriété de ronger les chairs des cadavres qui y étaient ensevelis) : cercueil de pierre, argile, bois ou métal, en forme de maison, de coffre, etc., généralement décoré, avec souvent un gisant.

Tore. Grosse moulure ronde, appelée aussi boudin (→ moulures).

Torse (ital. = « tronc »). Statue inachevée ou mutilée.

Tour. Ses principales formes sont :
1) Les *clochers d'églises.* En Italie, c'est souvent un clocher isolé (à côté de l'église) et peu élevé : le *campanile* (fig. p. 11, 27). L'architecture romane française et allemande aime les églises à plusieurs tours (fig. → p. 18). Le gothique en limitera le nombre - une ou deux -

Sarcophage romain à volutes, IIIᵉ s. av. J.-C.

Mausolée romain, Saint-Rémy-de-Provence (à g). Sarcophage roman, 1022 (à dr.)

Sarcophage des premiers siècles chrétiens, à bas-reliefs représentant l'arche de Noé (le couvercle a disparu). Vᵉ siècle.

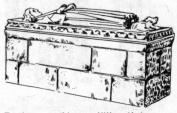

Tombeau gothique ; XIIIᵉ siècle

Tour d'escalier dans la cour intérieure d'un château Renaissance (à g.) ; escalier à hélice avec sa vis (à dr.)

Tour-porte, vers 1390

Beffroi goth. 1449 (à g.). Tours d'habitation à San Gimignano, Toscane, XIIIe-XIVe siècles (à dr.)

mais elles s'élanceront haut dans le ciel (fig. p. 26 et ss.). A la façade des églises Renaissance et baroque, elles restent de conception gothique : seule la décoration change. (Fig. → p. 39, 42.)

2) La *tour d'escalier,* avec son escalier en hélice (ou parfois, à l'époque romane, simplement une montée raide et en colimaçon, sans marches). Elles flanquent souvent symétriquement les murs des églises romanes et gothiques (fig. p. 15). Les tourelles d'escalier des châteaux Renaissance sont particulièrement soignées.

3) Les *tours fortifiées,* donjons des châteaux forts (fig. → p. 55), tours flanquant les murs d'enceinte et les portes des villes médiévales, ainsi que celles des églises fortifiées (fig. → p. 20 - Agde, donjon).

4) Les *tours d'habitation,* notamment celles des palais des familles patriciennes florentines.

5) Les *tours « d'apparat »* : beffrois des Hôtels de Ville du Moyen Age (qui servaient souvent d'arsenal) et Renaissance.

Transept → Basilique.

Travaux des mois → Symboles 14.

Travée → Voûte.

Trèfle → Ornements.

Tréflé (églises à plan) → Chœur.

Triangulation → Proportions (science des).

Tribune. Galerie qui, dans une église, permet soit de gagner de la place, soit d'isoler certains groupes de fidèles, par exemple les femmes, la maison seigneuriale, les religieuses dans un couvent de femmes (chœur des nonnes, à l'Ouest), les choristes. Ou encore de loger l'orgue (généralement à l'Ouest). Ou tout simplement pour l'harmonie de l'édifice. Dans les églises romanes tout particulièrement, les tribunes, qui donnent sur la nef centrale, constituent, en s'intercalant entre les arcades du rez-de-chaussée et les fenêtres hautes, un troisième élément du rythme architectural (fig.). A la Renaissance et au baroque, elle s'élève souvent jusqu'à la voûte. La tribune n'est cependant pas une des parties constitutives indispensables de l'église. Dans la basilique, elle est au-dessus des bas-côtés, dans le transept (fig. p. 15 et clôture du chœur) ou surmonte l'entrée occidentale. Dans l'église à plan central elle est ménagée au-dessus de l'entrée (fig. p. 14). Dans les églises-halles, elle s'élève sur une estrade et est souvent surajoutée. On distingue : 1) La *vraie tribune*, véritable « premier étage ». 2) La *fausse tribune*, simple voie d'accès menant au toit. 3) La *tribune simulée*, simple ouverture dans le mur, ne mène pas à une galerie.

Triforium. Galerie de circulation pratiquée dans l'épaisseur du mur (contrairement à la tribune), sous les fenêtres de la nef centrale, du → chœur et du transept. Il se compose souvent de → triplets. Son rôle est moins fonctionnel que décoratif. Le faux triforium ne comporte pas de galerie de circulation,

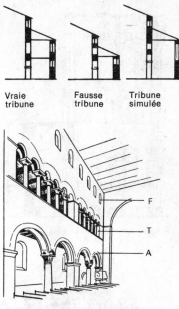

Vraie tribune — Fausse tribune — Tribune simulée

Architecture romane. Tribune, X° s. F fenêtres hautes, T tribune, A arcades de la nef centrale

Tribune baroque, XVIII° siècle

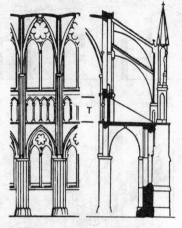

Triforium (T). Vue et coupe

Représentations de la Trinité

mais seulement des arcatures aveugles. Le triforium se rencontre à partir du XIᵉ siècle, mais surtout au gothique.

Triglyphe → Colonne.

Trilobé → Ornements.

Trinité. Depuis le haut Moyen Age, l'iconographie chrétienne représente la Trinité (le Père), le Fils (le Christ), et le Saint-Esprit (le Dieu unique en trois personnes) de différentes manières : trois personnages assis côte à côte (depuis le Xᵉ siècle) ; une figure à trois têtes ou trois visages (à partir du XIIIᵉ siècle) ; plus tard, deux personnages survolés par une colombe (le Saint-Esprit) ou trois cercles intersectés, ou un œil dans un triangle équilatéral (après le XVᵉ siècle) → Gloire (trône de gloire).

Triplet → Fenêtre.

Triptyque (grec). Tableau en trois parties articulées, notamment le → retable du Moyen Age, avec son panneau central fixe et ses deux volets mobiles. → Diptyque, Polyptyque.

Triptyque. Petit autel pliant russe.

Triquètre → Ornements.

Trois places (stalle à). Souvent située contre la clôture sud du chœur. Le prêtre et ses deux diacres s'y reposent pendant que le chœur chante le Gloria et le Credo. Au gothique primitif, c'est une niche dans le mur. Plus tard en bois et décorée tour). On obtient ainsi un plan comme les autres stalles.

Trompe. Arcs reliant les angles supérieurs d'une pièce carrée (par ex. le soubassement d'une

Triptyque : Petit autel pliant russe

Coupole à trompes, section

Stalle à trois places

Trompe sous une tour d'encoignure

Trophée

Vertus et vices. L'Humilité (avec une colombe), l'Orgueil (qui choit et tombe de haut). Goth., XIIIe s.

Typologie. Le sacrifice d'Abraham (à g.) et Moïse à la Verge d'airain (à dr.) préfigurations de la mort du Christ (au centre). **Bible des Pauvres**, 1477

Fig. 4 Vitrail à armature de béton

octogonal, sur lequel on peut facilement asseoir une → coupole. On donne aussi parfois le nom de trompe à une sorte de petite console galbée soutenant un balcon (illustr. → Balcon) ou au soubassement de tours d'angle.

Trophée. Armes diverses, groupées en motif décoratif autour d'une cuirasse, d'un casque ou monuments commémoratifs d'un bouclier, à l'imitation des monuments commémoratifs grecs. Depuis la Renaissance.

Tympan → Portail, 2. (Ill. → Evangélistes.)

Typologie (grec = « modèle, exemple »). Doctrine de la concordance de l'Ancien et du Nouveau Testament (« Concordia veteris et novi testamenti »). Dans cette doctrine, les événements de l'Ancien Testament sont les préfigurations prophétiques du Nouveau Testament. Sa traduction iconographique : par exemple les douze Prophètes face aux douze Apôtres, le prophète Elie dans son char de feu et l'Ascension du Christ.

Vertus et vices → Allégories, sous formes de figures féminines munies des → attributs correspondants. Elles personnifient surtout les trois vertus théologales (la Foi, l'Espérance et la Charité) et les quatre vertus cardinales (la Force, la Justice, la Prudence et la Tempérance). Souvent présents et faisant contraste, les Vices (figures masculines et féminines) dans des scènes de la vie quotidienne.

Vierges sages et Vierges folles
→ Portail nuptial.

Vitrail. Le « carton » (modèle dessiné en vraie grandeur par l'artiste) indique les principaux contours de l'image. On taille, suivant ces lignes, des morceaux de verre soit colorés dans la masse, soit à deux couches, la première incolore, la seconde minée et colorée (verres doublés). Aujourd'hui ces verres sont fabriqués industriellement. Avec un émail noir composé de poudre de verre et d'oxydes métalliques, on reproduit et on fixe sur le verre le dessin original. Les morceaux de verre sont enchassés suivant la disposition voulue dans une résille en plomb, soudée aux points de jonction (fig. 1, 2). Des tringles transversales ou barlotières renforcent le vitrail pour accroître sa résistance au vent (fig. 3 B). Elles sont raccordées à la fenêtre par des barres verticales (V) que des ligatures en plomb (L) rattachent à l'armature du vitrail. Les vitraux contemporains sont souvent réalisés avec un épais verre de couleur, enchassé non plus dans du plomb mais dans une armature de béton (fig. 4, p. 190).

Vitraux armoyés. Ils représentent les armoiries d'une personne, ou un groupe de personnes ayant fait don de l'œuvre (et une donation en argent) à un édifice public. Surtout en Suisse, aux XVe et XVIe siècles.

Volute (lat. *volutum* = « chose enroulée »). Elément d'architecture enroulé en spirale. Caractéristique du → chapiteau ioni-

Vitrail : fig. **1**, fig. **2**

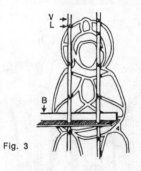

Fig. 3

Vitrail armoyé suisse, **1600**

Volute

191

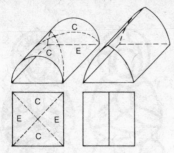

Fig. 1 a) b) Voûtes en berceau

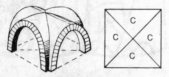

Fig. 2, a) Voûte d'arêtes

Fig. 2, b) Travées

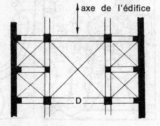

Fig. 2, c) Travée

que. Rare au Moyen Age, elle est employée à la Renaissance et au baroque comme élément intermédiaire entre les parties horizontales et verticales de l'édifice, → redents.

Voûtain → Voûte.

Voûte. Construction en maçonnerie, généralement composée de pierres taillées en forme de coin couvrant un espace bâti, et s'appuyant sur des murs, piliers, etc.

1) La *voûte en berceau.* Sa section est une demi-circonférence (fig. 1 a) ou un arc de cercle, mais peut aussi être un arc brisé (fig. 1 b). Si on faisait passer par la diagonale du plan des lignes verticales, on obtiendrait quatre parties : deux coiffes (C) et deux extrados (E). La poussée des coiffes s'exerce sur les angles, celle des extrados sur l'ensemble des murs porteurs. La pénétration d'une voûte en berceau dans une autre de plus grande dimension détermine une ouverture arrondie appelée lunette (On en voit souvent sur les bas-côtés, lorsque les fenêtres s'élèvent jusqu'à la voûte).

2) La *voûte d'arêtes* (fig. 2 a) naît de l'intersection de deux voûtes en berceau de même section : elle est donc formée de quatre compartiments, les voûtains. L'intersection est marquée par les *arêtes* (fig. 2 b, A). La poussée latérale est neutralisée par les → contreforts.

3) Dans la construction de la *voûte en croisée d'ogives* (fig. 3 a) on commence par poser, au lieu d'arêtes, des nervures, dont les profils varieront avec les

styles (fig. 3 b). Elles supportent la charge et la dirigent sur les piliers. Les voûtains sont constitués d'un matériau léger (par exemple pierre tanisée).

Roman tardif, gothique.

La *formation des travées.* Les voûtes de longueur importante sont souvent divisées en *travées* (fig. 2 c) par des arcs-doubleaux (fig 2 b, c D) transverseaux. Des *arcs formerets,* bandés parallèlement à l'axe de la voûte, délimitent latéralement les travées (fig. 2 b F). On appelle travée rythmée une travée à laquelle, par exemple, l'alternance des piliers et des colonnes (→ alternance) confère une cadence spécifique. Renaissance. Baroque.

4) Dans les voûtes au tracé *flamboyant* de la dernière période du gothique, les nervures forment des motifs :
- en étoile pour la « voûte en étoile » où les travées restent cependant marquées (fig. 4 a).
- en agencements diversifiés dans les voûtes à *nervures rayonnantes,* où de nouveaux compartimentages se substituent aux travées (fig. 4 b). Goth. tardif.

La voûte « à *cellules* » est une forme particulière de la voûte à nervures rayonnantes, fréquemment employée dans l'architecture en briques du nord de l'Allemagne (fig. 4 c). On parle de *lacis* lorsque les entrelacs d'une voûte en étoile ou à nervures rayonnantes sont visibles dans le plan même de l'édifice (fig. 4 d).

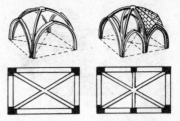

Fig. 3, a) Voûte en croisée d'ogives ; à g. quadripartite, à dr. sexpartite

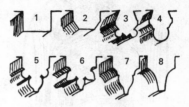

Fig. 3, b) Profils de nervures, 1, 2, roman, XIe-XIIe s.; 3, 4, roman XIIe s.; 5, 6, 7, gothique XIII-XIVe s.; 8, goth. tardif, XVe siècle

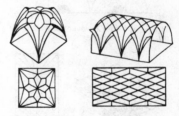

Fig. 4, a) Voûte en étoile (à g.) ; b) voûte à nervures rayonnantes (à dr.)

Fig. 4, c) Voûte « à cellules »

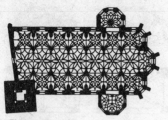

Fig. 4, d) Lacis

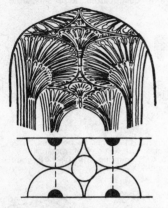

Fig. 5, a) Voûte en éventail avec clé de voûte pendante

Fig. 5, b) Voûte en éventail.

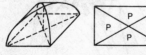

Fig. 6, Voûte en arc de cloître

5) La *voûte en éventail* étale ses nervures à partir d'un point central. Elle est surtout prisée du gothique anglais tardif (fig. 5 a) mais on la trouve (fig. 5 b) sur le continent (Ill. → p. 56, réfectoire).

6) La *voûte en arcs de cloître* se compose de quatre pans (P) formés à la rencontre de deux galeries de cloître, par les sections triangulaires de deux voûtes en berceau. Elle coiffe souvent un plan polygonal (fig. 6).

7) La *voûte en ogive surbaissée* peut être une combinaison de voûte en arc de cloître et de voûte en berceau, ou une voûte en berceau à l'extrémité incurvée.

8) La *voûte à pan sur plan carré* (fig. 8) correspond à une voûte à ogive surbaissée, ou une voûte d'arêtes dont la partie supérieure est tronquée. Le panneau supérieur, plan, de forme rectangulaire ou ovale (baroque), s'appelle plan carré. La → coupole est un cas particulier de la voûte.

Zigzags → Ornements.
Zodiaque (signes du) → Symboles, 14.

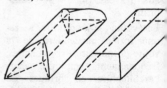

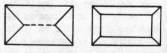

Fig. 7, Voûte en ogive surbaissée (à
Fig. 8, Voûte à pan sur plan carré (à